Ökonomien der Zukunft

Mara
Catherine
Harvey

Women and Risk

Aus dem Englischen von Enrico Heinemann

NP
&I

Inhalt

Einführung

Am Anfang mutete es seltsam an: einen Essay über »Frauen und Risiken« zu schreiben. Wohl hauptsächlich wegen des Worts »Frau« in der Überschrift. Ich sah mich mein ganzes Leben als eine Person, die sich über das definiert, wofür sie steht, und stark von dem angetrieben wird, was sie zu bewegen können glaubt. Mein Leben lang reichten die Etiketten von Expat über Forscherin, Autorin, Bankerin, Strategin, Problemlöserin, Leiterin, Vermögensberaterin, Hochzeitsplanerin, Mentorin und Coach bis hin zu Führungskraft. Und von Gestalterin über Erneuerin, Unternehmerin, Anlegerin, Sprecherin, Ehefrau und Mutter bis zu Weltbürgerin.

Während des größten Teils meines Werdegangs stand das Etikett »Frau« eigentlich nie auf meiner Landkarte. Tatsächlich verwendete ich bis in meine frühen Dreißiger keinen

Gedanken darauf, ob das Frausein bei meinen Beschäftigungen irgendeinen Unterschied machte. Die Zuversicht der Jungen spielte eine Rolle: die Naivität, die Welt so zu nehmen, wie sie ist, und möglichst das Beste aus ihr zu machen. Mich an Lebensumstände anpassen lernen musste ich schon in jungen Jahren, als ich unerwartet in ein neues Land umzog und mit einem Sprung ins kalte Wasser eine Fremdsprache lernen musste. Und ich hatte das Glück, mein Leben in Ländern zu verbringen, in denen vermeintliche Chancengleichheit herrscht.

»Frau«: Wer hätte gedacht, dass dieses Etikett irgendwann relevant würde? Der Groschen fiel erst während einer Managementsitzung, in der ich als einzige weibliche Person mit am Tisch saß. Ein Kollege fragte mich, ob ich deshalb teilnähme, weil ich die Sitzung organisiert hätte. Mir fehlten die Worte. Und ich erkannte, dass eine Frau zu sein wohl doch etwas zu bedeuten hatte.

Und wie sieht es aus mit »Frau« im Zusammenhang mit »Risiko«? Mit einem geschlechtsneutralen Begriff, der als »die Möglichkeit« definiert ist, »etwas Wertvolles zu gewinnen oder zu verlieren«, oder genauer, als »eine Konsequenz von Handlungen«, auf die man sich »ungeachtet des ungewissen Ausgangs« einlässt. Was also hat »Frau« mit »Risiko« zu tun? Wie sich herausstellt: eine ganze Menge. Erstens neigen Männer laut zahlreicher Studien eher als Frauen dazu, Risiken einzugehen, auch wenn die Ursachen und die Größenordnung bislang umstritten sind. Zweitens gelten Frauen als risikoscheuer als Männer.[1] Wenn man bedenkt, wie Wahrnehmungen unsere Realitäten prägen, sind diese Vorstellungen und die einhergehenden Stereotype wahrscheinlich sogar bedeutsamer als sämtliche Fakten, die dazu bislang recherchiert wurden.

Nach vielen Jahren beruflicher Erfahrung würde ich einen dritten Grund hinzufügen, der vielleicht der wichtigste ist: Frauen sind einer Vielfalt an Risiken ausgesetzt, die Männer weniger betreffen.

Auch wenn die Definition von Risiko geschlechtsneutral formuliert ist, folgt ihre Deutung stark der männlichen Definition von Wachstum. Das, was heute Risiko genannt wird, deckt nur die gemeinhin bekannten männlichen Aspekte wie körperliche und finanzielle Risiken ab. Außen vor bleibt eine ganze Bandbreite an sozialen und ethischen Aspekten, z. B. wenn man sich für richtige Ziele einsetzt, obwohl es dem eigenen Ruf schaden kann, sich weigert, seine Ansprüche herunterzuschrauben, oder berufliche Erfüllung über den Profit stellt. »Wenn man das Konzept des Risikos so erweitert, dass es diese Verhaltensweisen einschließt, gehen Frauen genauso viele Risiken wie Männer ein.«[2]

Zu »Frauen und Risiken« gibt es also fraglos Wichtiges zu sagen. Wie beeinflussen Vorstellungen und Realitäten das Leben von Frauen und ihre Fähigkeit, ihre Zukunft zu gestalten? Mit welchen Nachteilen sind Frauen angesichts der Geschlechterungleichheit konfrontiert? Warum sammeln Unternehmerinnen nur einen Bruchteil des verfügbaren Risikokapitals ein? Und warum lassen Frauen seltener ihr Geld für sich arbeiten? Behindern männliche Risikobegriffe und Botschaften über Geld Frauen darin, ihre finanzielle Zukunft in die eigene Hand zu nehmen? Wenn es ums Geld geht, sind Frauen mit ganz speziellen Risiken konfrontiert, die sich aus Lohngefällen, gebrochenen Erwerbsbiografien und ihrer

Langlebigkeit ergeben. Kann es in entwickelten Volkswirtschaften wirklich passieren, dass für viele Frauen das Geld schneller als das Leben zu Ende geht? Und welche Chancen winken, wenn Frauen Risiken umdefinieren und sich für sie entscheiden?

Alle diese Fragen werden im Folgenden behandelt und Wege ausgemacht, auf denen sich die Gleichstellung beschleunigen lässt und zu denen sämtliche Akteure quer durch die wirtschaftliche Landschaft beitragen können. Die Gegenwart sollte überdacht werden, damit es möglich wird, sich eine neue Zukunft vorzustellen: eine der Gleichstellung mit einem gründlicheren Verständnis der Risiken, denen Frauen ausgesetzt sind.

Trotz allen Fortschritts verharren Frauen immer noch in einer prekären Lage

Im Jahr 2018 sind Frauen Männern gegenüber wirtschaftlich immer noch im Nachteil.[3] Rund um die Welt heißt eine Frau zu sein, durchschnittlich mehr zu arbeiten. Obwohl Männer täglich mehr Stunden am Arbeitsplatz verbringen, sind Frauen insgesamt länger beschäftigt, und die meiste Zeit ohne finanzielle Vergütung.[4] Weltweit verdienen Frauen 24 Prozent weniger als Männer. Zwar wurden global ermutigende Anstrengungen unternommen, um die »Gendergaps« bei Gesundheit und Bildungserfolg zu schließen – mit der guten Nachricht, dass die Frauen den Rückstand in der Bildung voraussichtlich innerhalb eineinhalb Jahrzehnte aufgeholt haben werden. Aber bei der wirtschaftlichen und der politischen Teilhabe öffnet sich weiterhin eine tiefe Kluft. Demnach genießen Frauen nur annähernd die Hälfte der wirtschaftlichen und nur ein Viertel der politischen Chancen, die sich Männern bieten.

Zur größten Besorgnis sieht es so aus, als werde sich die weltweite Lage der Frauen für eine Weile nicht verändern. Insbesondere die wirtschaftliche Ungleichheit scheint in Beton gegossen: 2017 war sie erneut so groß wie 2008, womit fast ein Jahrzehnt des Fortschritts verlorenging. Den Erwartungen nach soll es laut WEF weitere 217 Jahre dauern, ehe diese Lücke geschlossen wird.[5] Die wichtigsten Gründe für diesen sich hartnäckig haltenden Gendergap sind:[6]

- Die Beteiligung von Frauen am Erwerbsleben ging weltweit überproportional zurück.
- Die Einkommen von Frauen stiegen langsamer.
- Der geringere Anteil von Frauen in leitenden Positionen im öffentlichen Sektor wie auch in der Privatwirtschaft – mit gegenwärtig nur 22 Prozent Frauen, die höhere Führungspositionen bekleiden.

»Ein Großteil dieses Ungleichgewichts erklärt sich aus der Diskrepanz bei Betreuungsleistungen und unbezahlter Arbeit, aus institutioneller und politischer Untätigkeit, rückständigen Organisationsstrukturen und Diskriminierung.«[7] Manche Herausforderungen bei der wirtschaftlichen Teilhabe erklären sich auch aus den unterschiedlichen Fertigkeiten und Ausbildungen, die Frauen und Männer anstreben. Auch wenn weibliche Beschäftigte tendenziell eher über eine tertiäre Ausbildung verfügen (25,6 Prozent gegenüber 19,4 Prozent), sind sie häufiger in den Bereichen Gesundheit und Soziales ausgebildet, während sie in der Finanzbranche, Technik,

Fakten und Zahlen

Wie die Vereinten Nationen in ihrem Report von 2016 aufzeigen, erledigen Frauen im Durchschnitt dreimal so viel unbezahlte häusliche und betreuerische Arbeiten wie Männer und haben so weniger Zeit für andere Aktivitäten wie Fortbildung, politische Teilhabe, Netzwerkbildung, Selbstfürsorge oder sogar einen Vollzeitjob. Frauen im Erwerbsalter sind in die Arbeitswelt (mit 50 Prozent) zu einem geringeren Anteil eingebunden als Männer (mit 75 Prozent). Über 1,3 Milliarden Frauen haben kein Bankkonto bei einem zugelassenen Finanzinstitut. In 26 von 143 Ländern unterscheidet das Erbrecht zwischen Männern und Frauen. Die Mehrheit (60 Prozent) der weltweiten Analphabeten sind Frauen. 750 Millionen Mädchen weltweit wurden vor ihrem 18. Lebensjahr verheiratet. Dies sind nur einige Beispiele und erschreckende Zahlen.

Der Global Gender Gap Index des Weltwirtschaftsforums (WEF) misst den Status von Frauen in der Welt in vier Bereichen:

- Gesundheit und Lebenserwartung (Gleichstellung zu 96 Prozent erreicht)
- Bildungserfolg (zu 95 Prozent erreicht)
- Wirtschaftliche Beteiligung und Chancen (zu 56 Prozent erreicht)
- Politische Beteiligung (zu 23 Prozent erreicht)

Blickt man auf das globale Bild von 2017, hat sich die weltweite Lücke zwischen den Geschlechtern nur zu 68 Prozent geschlossen. Bis zur vollen Gleichstellung weltweit klafft durchschnittlich noch eine Kluft von 32 Prozent. Sicher bedeutsam ist dabei, dass von 142 bewerteten Ländern nur 60 Fortschritte erzielt haben. In 82 Ländern haben sich die Ungleichheiten zwischen den Geschlechtern im Vergleich zum Vorjahr sogar noch vergrößert.

Fertigung und im Bauwesen sowie in Informatik, Kommunikation und Technologie unterrepräsentiert sind.[8]

Trotz dieser ernüchternden Zahlen und Trends gibt es große Chancen für eine bessere Zukunft. In den Fußstapfen unserer weiblichen Altvorderen, die den Weg zum Wahlrecht, zu gleichem Zugang zu Eigentum und zu gleichen Möglichkeiten zum Eintritt in den Arbeitsmarkt bahnten, eröffnet die zunehmende Gleichstellung heute Chancen für einen breiteren gesellschaftlichen Wandel. Auch wenn sich der Fortschritt wohl langsamer als erhofft vollzieht, gibt es stetige Schritte nach vorn und immer mehr Transparenz bei den Herausforderungen, mit denen Frauen konfrontiert sind. Bedeutende Institutionen wie das Weltwirtschaftsforum, UN Women, die Weltbank, viele gemeinnützige Organisationen und sogar einflussreiche Konzerne investieren, um Daten zu erheben, welche die Geschlechtertrennung deutlicher sichtbar machen. Die öffentlichen Anstrengungen zur Gleichstellung greifen so auf die Geschäftswelt über und ebnen den Weg, um Frauen aktiver zu fördern. Angesehene Organisationen wie Equileap oder Bloomberg geben inzwischen Indizes zur Gleichstellung im Privatsektor an. Die positiven wirtschaftlichen Auswirkungen einer gerechten Gesellschaft wurden längst publik gemacht. Länder wie Island und neuerdings Großbritannien, Deutschland, Australien und Kanada führen greifbare Maßnahmen ein, um die Gleichstellung zu beschleunigen. Allmählich haben Politiker und Führungsfiguren aus dem Privatsektor die Initiative ergriffen. 2015 erklärten die G7 die Geschlechtergleichstellung zu einer Priorität: »Wir haben uns heute auf konkrete Schritte bei Gesundheit, Frauenförderung und Klimaschutz verständigt, um unseren Beitrag dazu zu leisten, die größten globalen Herausforderungen anzugehen und auf einige der drängendsten Probleme in der Welt zu reagieren.«[9] Dabei tun sich auch Wirtschaftsführer hervor: »Um künftige Volkswirtschaften aufzubauen, die sowohl dynamisch als auch integrativ sind, müssen wir sicherstellen, dass alle die gleichen Chancen bekommen. Wenn Frauen und Mädchen nicht einbezogen werden – als Nutznießerinnen und als Gestalterinnen –, entgehen der Weltgemeinschaft Fähigkeiten, Ideen und Perspektiven, die entscheidend sind, um die globalen Herausforderungen anzugehen und neue Chancen zu nutzen.«[10]

So ermutigend dies klingen mag: Wenn wir die heute anhaltende wirtschaftliche Ungleichheit in einem vernünftigen Zeitraum überwinden wollen, müssen wir bei einer ihrer Hauptursachen ansetzen, die unserem direkten Einfluss unterliegt: beim erschwerten Zugang für Frauen zu Kapital. Dies gilt sowohl für Finanzmittel für geschäftliche Zwecke als auch für den Zugang zu Sachverstand, um eigenes Vermögen aufzubauen. Zwei entscheidende Hindernisse müssen aus dem Weg geräumt werden: die Schieflage bei Botschaften über Geld zugunsten der Männer und die verzerrte Wahrnehmung, was Risikobereitschaft angeht.

Wie kommt es, dass Frauen weniger Risikokapital einsammeln als Männer? Warum befassen sich Frauen weniger stark mit Finanzfragen? Wieso glauben viele, dass Männer mit Geld besser umgehen könnten? In den Botschaften über Geld und in der Finanzwelt wirken grundlegende Vorurteile, die irrige Wahrnehmungen verstetigen. Mit diesen falschen Vorstellungen aufzuräumen, ist für Frauen auf dem Weg zu einer gerechteren Gesellschaft entscheidend. In den nächsten

Kapiteln wird umrissen, was in Sachen Finanzen wirtschaftlich, gesellschaftlichen und individuell geschehen muss, damit Frauen eine der letzten Hürden nehmen, um mehr Einfluss zu gewinnen. Es werden Möglichkeiten vorgestellt, wie Frauen ihre Lage selbst aktiv verändern können. Zudem wird aufgezeigt, mit welchen Erwägungen und möglichen Schritten sich die Finanzindustrie vor allem befassen muss, um den Status quo zu verbessern.

Die Männlichkeit des Geldes überwinden, ist eine der letzten Hürden auf dem Weg zur Gleichstellung

Es gibt wachsende Belege für die Vorteile, wenn Unternehmen quer durch die Branchen und Sektoren verstärkt Frauen einbeziehen und für mehr Vielfalt sorgen. Eine McKinsey-Studie zeigte schon 2007,[11] dass Unternehmen, die auf Geschlechterparität setzen, bei den Geschäftsergebnissen um durchschnittlich 15 Prozent besser als die Konkurrenz abschneiden, weil Frauen häufiger als Männer Führungsqualitäten zeigen, die die organisatorische Leistung verbessern.[12] Heute sind die geschätzten Auswirkungen sogar noch größer. Dies gilt nicht nur für etablierte Institutionen, sondern auch für Unternehmen in der Frühphase. Diejenigen mit gemischten Mitarbeitern und/oder weiblicher Führung sind besonders leistungsstark. Der US-Risikokapitalgeber First Round Capital hat Hunderte Start-up-Unternehmen finanziert. Wie sein Bericht von 2015 aufzeigte, schnitten in seinem Portfolio von Frauen gegründete Unternehmen um 63 Prozent besser ab die der Männer.[13] Dieser erwiesene Nutzen spiegelt sich allerdings nicht in gleichwertigen Kapitalflüssen wider, wenn es darum geht, Unternehmen in der Frühphase zu finanzieren. In den meisten Ländern liegen die von Frauen gegründeten Unternehmen immer noch hinter denen der Männer.[14]

Fakten und Zahlen

Im Jahr 2017 flossen Frauen in den USA kaum 2 Prozent des Venture-Kapitals (VC) zu: »Reine Frauen-teams erhielten von den 85 Milliarden US-Dollar, die Risikokapitalgeber insgesamt investierten, nur 1,9 Milliarden Dollar«, während »reine Männerteams ungefähr 66,9 Milliarden, rund 79 Prozent« einstrichen und der Rest an gemischte Teams ging. Zwar ist die Anzahl der Risikokapitalgeschäfte mit weiblichen Start-ups immer noch sehr gering (368 verglichen mit 5588 für rein männliche Teams 2017), aber nichtsdestoweniger zeigt die gewaltige Diskrepanz bei der Finanzierung, dass Risikokapitalgeber Gründerinnen in erheblich geringerem Umfang mit Mitteln ausstatten.

Wie eine neuere weltweite Umfrage unter 3000 Unternehmern durch den Crowdsourcing-Dienstleister 99-designs zeigt, werden Frauen tatsächlich mit geringeren Finanzmitteln bedacht: Ganze 15 Prozent der Frauen warben gegenüber 28 Prozent der Männer über 100.000 US-Dollar ein. Dieser Gendergap bei der Finanzierung ist ein greifbares Hindernis für weibliche Unternehmenstätigkeit und hindert Frauen daran, sich umfänglicher an der Schaffung von Wohlstand zu beteiligen. Und Besserung ist nicht in Sicht: Forschungen in den USA von Chrunchbase zeigen, dass die absolute Anzahl an VC-finanzierten Unternehmen, die von Frauen gegründet wurden, zwar zugenommen hat, ihr Anteil in den letzten fünf Jahren aber stagniert ist.[15]

Dieser ungleiche Zugang zu Kapital hat komplexe Ursachen, die einzeln oder im Verbund wirken:[15]

- Weniger Frauen als Männer bewerben sich um Start-up-Kapital.
- Wenn sich Gründerinnen an männliche Risikokapitalgeber wenden, können unbewusste Vorurteile eine Rolle spielen, wie sie auch in der Einstellungspraxis bei rein männlichen Gremien zu beobachten sind. Und da nur 7 Prozent der Toppartner von VC-Unternehmen Frauen sind,[16] stehen die Chancen einer Unternehmerin nur 1 zu 10, dass sie es mit einem paritätisch besetzten Anlageausschuss zu tun hat.
- Unbewusste Vorurteile können nicht nur gegen die Gründerin, sondern auch gegen ihr Geschäftsmodell sprechen, wenn es sich um Produkte oder Dienstleistungen für Frauen oder um Angebote handelt, mit denen sich Männer schwer identifizieren.
- Unternehmerinnen sind in den vorherrschend männlichen Netzwerken von Risikokapitalgebern eher ungewohnt, haben zu ihnen schwer Zugang und finden sich in ihnen schwer zurecht.
- Gründerinnen stellen eher bedarfsgerechte Anfragen, während Männer fordernder auftreten.
- Frauen werden eher nach Leistung, Männer eher nach Potenzial beurteilt. Die gleiche Tendenz, die Laufbahnen in Unternehmen beeinflusst, kommt offenbar auch auf sämtlichen Ebenen der Finanzierung von Frauen zum Tragen, vom Startkapital bis zum Risikokapital in der Früh- und Spätphase.

Eine eingehendere Analyse der Grundursachen hat gezeigt, wie allgegenwärtig Voreingenommenheiten in der Finanzwelt wirken: Männliche wie weibliche Risikokapitalgeber neigen dazu, Unternehmer je nach deren Geschlecht jeweils mit unterschiedlichen Fragen zu konfrontieren, wenn sie die betreffenden Geschäftsmodelle beurteilen. Forschungen zeigten, dass Risikokapitalgeber Männern »eher Fragen nach den Gewinnpotenzialen (fördernde Fragen) und Frauen eher nach möglichen Verlusten (präventive Fragen) stellen«.[17] Wie die Auswertung ergab, richteten sich über zwei Drittel der Fragen an Männer auf Hoffnungen und Ideale, positive Geschäftsaussichten wie Kundenakquise, erwartete Verkaufszahlen, Marktwachstum, Ausblicke und Erwartungen. Dagegen drückten über zwei Drittel der Fragen an Frauen Besorgnisse wegen der Absicherung und Solidität ihres generellen Plans aus und zielten darauf ab, wie Kunden gebunden, Gewinnschwellen erreicht, Marktbereiche verteidigt, Cashflows stabilisiert und Qualitäten gesichert werden. Diese grundverschiedenen Stoßrichtungen bei der Bewertung von Geschäftsaussichten erbrachten auch deutlich unterschiedliche Ergebnissen bei der Kreditvergabe: »Die vorherrschend präventiven Fragen erklärten vollauf die Beziehung zwischen dem Geschlecht des Unternehmers und der Kapitalausstattung des Start-ups«[18] - mit dem Ergebnis, dass Unternehmer, die vornehmlich präventive Fragen gestellt bekamen, nur ein Siebtel so viel Kapital wie die anderen zugeteilt bekamen.

Dieser erste Nachweis zeigt folglich auf, welch große Rolle Formulierungsweisen für die Gleichstellung der Geschlechter in der Finanzwelt spielen: Ein geschlechtsspezifischer

Diskurs stellt an sich schon ein Risiko dar für Frauen, die Zugang zu Kapital brauchen. Eine Frage positiv anstatt mit Vorbehalten zu formulieren, macht bei der Zuteilung von Kapital an weiblich geführte Unternehmen einen himmelweiten Unterschied.

Ähnlich untersuchten Studien in Schweden, das sich bekanntlich an vorderster Front um Gleichstellung bemüht, eingehend die Ausdrücke, die auf Sitzungen zur staatlichen VC-Vergabe (mit 5 Männern und 2 Frauen) verwendet wurden, um weibliche und männliche Unternehmer im Verlauf von 125 Kreditvergabeentscheidungen (mit einem Fünftel weiblicher Antragsteller) zu beschreiben. Die Ergebnisse sind nicht weniger schockierend als die oben genannten: »Die Kapitalgeber gebrauchen in ihrer Rhetorik stereotype Bilder, die Frauen mit dem Gegenteil von den Eigenschaften darstellen, die für Unternehmer als wichtig gelten […], mit VC-Fragen, die ihre Glaubwürdigkeit, Vertrauenswürdigkeit, Erfahrung und Fachkenntnisse infrage stellten.« Dagegen wurden »männliche Unternehmer gewöhnlich als durchsetzungsfähig, innovativ, kompetent, erfahren, sachkundig und als mit selbst aufgebauten Netzwerken ausgestattet« dargestellt. Im Ergebnis ergatterten Frauen im Durchschnitt 25 Prozent des beantragten Kapitals, während Männer über 52 Prozent einstrichen. Und über 52 Prozent der Frauen kassierten eine Absage, gegenüber nur vier von zehn Männern.[19]

All dies deutet darauf hin, dass Geld immer noch sehr männlich konnotiert ist. Männer gelten als geeigneter fürs Geldverdienen. Dieses Vorurteil grassiert weitverbreitet in der Finanzindustrie mit Auswirkungen, die bis weit über die Hindernisse und Risiken hinausreichen, denen Unternehmerinnen bei der Beschaffung von Start-up-Kapital ausgesetzt sind. Ein ganz ähnliches, aber noch akuteres Problem stellt für Frauen die hartnäckige Vorstellung dar, dass der Umgang mit Geld Männersache sei. Wo kommen diese Vorurteile zum Vorschein und wie lassen sie sich überwinden?

Der Sprachgebrauch ist wichtig: Vorurteilsgeladene Botschaften über Geld verzerren die Wahrnehmungen vom Geld

Oft sind es die Geschichten, die wir uns selbst erzählen, die uns den Weg versperren. Geschichten bestehen aus Worten, die je nachdem, wie wir sie interpretieren, Hürden auf dem Weg zur Gleichstellung erhöhen oder abbauen können. Frauen bekommen, wie gezeigt, andere Fragen als Männer gestellt, wenn ihre Geschäftsmodelle bewertet werden, was die hartnäckige Vorstellung widerspiegelt, dass Männer in der Geschäftswelt erfolgreicher seien. Bei den Ursachen, warum die Finanzwelt Frauen im Umgang mit Geld weniger zutraut, zeigte sich auch, dass dabei ein bestimmter Sprachgebrauch eine Rolle spielt. Dieser prägt mit, wie leicht Frauen zur Finanzindustrie insgesamt Zugang finden, und beeinflusst deren Teilhabe an der Wirtschaft als Ganzes.

Die Starling Bank untersuchte jüngst Stereotypen in den Medien zu Botschaften über Geld – mit überraschenden und höchst aufschlussreichen Ergebnissen: Von den über 300 ausgewerteten Medienartikeln über Geld stellen die meisten, die in Frauenzeitschriften erschienen waren, Frauen als verschwenderisch dar und ermuntern sie fast durchweg zum Sparen und zu Einschränkungen. Dagegen erhoben in den Männermagazinen die meisten Artikel das Geldverdienen zu einem männlichen Ideal mit einer Sprache, die unterschwellig Ängste weckte: Geldverdienen macht den Mann männlicher. Diese gegensätzlichen Darstellungen sind alarmierend. »Beide Geschlechter werden kategorisiert durch den alltäglichen Sexismus in der Sprache [...], den wir überwinden müssen, wenn wir jemals echte Fortschritte sehen wollen, um die Lohn-, Investitions- oder Vertrauenslücke zwischen den Geschlechtern zu schließen.«[20] Geld muss geschlechtsneutral konnotiert sein und zu einem Thema werden, über das unaufgeregt, objektiv und konstruktiv geredet wird, egal ob es Frauen oder Männer betrifft.

Und dann ist da noch die unheilvolle Hürde des Finanzjargons. Die Finanzbranche hat die Kunst perfektioniert, sich eine eigene Sprache und einen engen Kreis von Personen zu schaffen, die sie beherrschen. Ein Jargon richtet unnötige Barrieren auf, weil er beeinflusst, wie Menschen ihr eigenes Finanzwissen und damit auch finanzielle Risiken wahrnehmen. Er hindert zahlreiche Frauen daran, sich stärker mit Geldanlagen zu befassen, und stellt so ein konkretes Risiko dar, wenn es um die Bildung und Vermehrung von Vermögen geht. Der Finanzjargon entstand in einer Welt der noch rein physischen Aktienmärkte, in der die Händler ihre Aufträge laut, schnell und deutlich herausschreien mussten, um sich in der Kakofonie der anderen Börsenmakler Gehör zu verschaffen. Heute ist er in Gesprächen über Geld nicht nur überflüssig geworden, sondern muss sogar verschwinden, damit all jene einbezogen werden können, die ihr Finanzwissen als ausreichend ansehen, um ihr Geld richtig anzulegen. Mir gegenüber hat eine besonders vermögende Frau das Problem so auf den Punkt gebracht: »Es geht um mein Geld, geben Sie mir nicht das Gefühl, dass ich dumm sei.«

Der Sprachgebrauch und kulturell verankerte Botschaften verfestigen irrige Stereotype und erhöhen die Barrieren, sich mit Finanzen auseinanderzusetzen. Auf ein Beispiel stößt man über die Jahre immer wieder: Geldanlagen am Aktienmarkt gelten als Zocken. Jeder, der nicht zum Gang ins Kasino neigt und nicht bereit ist, sein Geld im Poker aufs Spiel zu setzen, wird riskantere Anlagen scheuen, solange vom »Spielgeld« die Rede ist.

Dieser Vergleich ist leider nicht nur völlig unpassend, sondern wirkt auch abschreckend. Er erweist nicht nur der Finanzindustrie einen Bärendienst, weil hinter Anlagestrategien eine Wissenschaft steht, sondern hält auch viele, insbesondere Frauen, davon ab, Aktienkäufe auch nur zu erwägen, noch bevor ein richtiges Beratungsgespräch über Geldanlagen und deren langfristige Nutzen stattgefunden hat. Viele identifizieren sich nicht mit Spielerinnen und kommen so gar nicht auf den Gedanken, in einer »Seitentasche« ihres Portfolios »Spielgeld« zu parken. Dabei hat Geldanlegen mit dem Gang ins Kasino wenig oder gar nichts außer einem gewissen Risiko gemein, dass man seinen gesamten Einsatz verlieren kann. Dieses Risiko ist beim Anlegen deutlich geringer als beim tatsächlichen Spiel am Roulettetisch. Und Geldanlegen funktioniert auch nicht so, dass man ein Blatt Papier mit börsennotierten Aktien an der Wand aufhängt und durch den Wurf von Dartpfeilen entscheidet, in welche man investiert. Zum Glück sind die Chancen, am Aktienmarkt

Geld zu verdienen, um Welten größer, wenn man diszipliniert vorgeht und konsequent auf Risikostreuung setzt.

Dass das Investieren in Aktien mit Zocken verglichen wird, rührt auch daher, dass ein zu großes finanzielles Engagement ebenfalls zum Wagnis werden kann. Ein Übermaß an Aktivität im eigenen Portfolio führt zu großen Umsätzen, die nach Abzug der Gebühren aber nicht unbedingt einen Wertzuwachs bringen und die Gesamtrendite der Anlagen am Ende vielleicht sogar mindern. Tatsächlich zeigten Forschungen, dass Anleger, die zu viele Transaktionen tätigen, sich damit selbst schaden.[21] Frauen neigen ja offenbar weniger als Männer dazu, bei Transaktionen überaktiv zu werden, und profitieren insgesamt von ihrer strengeren Disziplin, wenn sie sich für eine Anlagestrategie entschieden haben und konsequent an ihr festhalten.

Vieles kann getan werden, um in der Finanzwelt für mehr Gleichstellung zwischen den Geschlechtern zu sorgen, die Risiken für Frauen zu mindern und ihren Bedürfnissen entgegenzukommen. Dazu müssen sich die Sprache, das Gesicht und das Herz der Finanzbranche zukunftsfähig weiterentwickeln. Ein neuer weiblicher Fokus ist ein strategisches Muss, wenn die Finanzwelt für das nächste Jahrzehnt für einen anspruchsvollen Kreis von Kundinnen relevant und attraktiv bleiben will. Produkte, Marketingstrategien und Abteilungen, die rein auf weibliche Kundschaft abzielen, erwiesen sich bislang als unzulänglich. Der Kern der Branche braucht eine Erneuerung unter dem geschlechtsspezifischen Blickwinkel. Die Finanzwelt muss Menschen, nicht Zahlen ins Zentrum ihrer Wertschöpfungsketten rücken, entlang jeder einzelnen Kontaktstelle, an der Kundschaft

Erfahrungen sammelt. Sie kann eine Menge von Tech-Unternehmen lernen, die sich bereits aufgemacht haben, den Menschen in ihren Konzepten in den Mittelpunkt zu stellen und den Kunden spannende digitale Erfahrungen zu bieten.

Um von maskulinen Botschaften über Geld und von Vorstellungen abzurücken, die Gendergaps vergrößern, müssen sich der Sprachgebrauch und der Tonfall in den Medien und der Finanzbranche grundlegend ändern. Vorbei sind die Zeiten, in denen Frauen sich unwohl fühlen oder Scheu haben mussten, Fragen zu stellen, wenn der Jargon unverständlich und die Erläuterungen nebulös oder überaus kompliziert waren. Tatsächlich äußern viele Männer ebenfalls Verärgerung über den Finanzjargon. Auch ihnen ist unwohl dabei, Erklärungen zu verlangen, und sie bluffen lieber, als zuzugeben, dass sie nur Bahnhof verstanden haben. Auch die Männer in der Finanzbranche werden davon profitieren, wenn Frauen an Einfluss gewinnen.

Wo sind all die weiblichen Vorbilder geblieben?

Warum halten sich die in Botschaften über Geld enthaltenen Vorurteile so hartnäckig? Warum gilt Geld immer noch als Männersache? Hätten sexistische Aussagen um Geld nicht schon in den 1950er Jahren verschwinden müssen? Ein Rückblick gibt einige Antworten.

Die Geschichte wurde weitgehend von Männern geschrieben. Nicht nur mit Taten, sondern auch auf dem Papier: In der Vergangenheit stammten die meisten Geschichtsbücher von Männern. Frauen hatten zu Forschung und Lehre nur begrenzten Zugang. Ich kann mich an kein einziges Lehrbuch erinnern, das ich in den 1970er und 1980er Jahren an der Schule verwendet habe, das von einer Frau verfasst worden wäre. Männer, die über Männer schreiben und die Welt durch die männliche Linse betrachten, prägten bis in die jüngste Vergangenheit unser Bildungssystem. Vor diesem Hintergrund galt jede Frau, die in diesem männlich dominierten Umfeld einen Platz für sich beanspruchte, als Pionierin und Ausnahme von der Regel. Und selbst da, wo Frauen Grenzzäune niederrissen, drängte die Geschichtsschreibung sie eher an den Rand oder ignorierte sie.

So nehmen wir beispielsweise die Automobilindustrie aus der männlichen Warte wahr, weil Bertha Benz, die nach heutigem Recht das Patent für das erste Automobil besitzen würde, dieses nach damaligem deutschem Recht nicht selbst anmelden konnte. Sie ließ es unter dem Namen ihres Ehemannes registrieren, sodass die Geschichtsschreibung die heldenhafte Erfindung eines Mannes feiert. Und Bertha war nicht nur Financier und Mitentwicklerin des ersten Automobils, sondern wies auch – was ihr Mann nicht wagte – als erster Mensch überhaupt nach, dass ein solches Fahrzeug längere Strecken zurücklegen konnte.

Ähnlich berichten die Geschichtsbücher von Erkundungsreisen und Abenteuern vieler prominenter Männer, erwähnen aber mit keiner Silbe die einflussreichste abendländische Forschungsreisende, politische Verbindungsoffizierin, Verwalterin und Archäologin, Gertrude Bell. Generell ist die Geschichtsschreibung im Hinblick auf Erkundungen, Erfindungen und Entdeckungen überwiegend männlich dominiert, wohingegen

Frauen oftmals aufgrund der damaligen gesellschaftlichen Normen unterschlagen wurden. Heute wird immer klarer, welche Rolle Frauen in der Geschichte spielten und wie sie die Gesellschaft ihrer Zeit prägten.

Gleiches lässt sich über die Philosophiegeschichte sagen: Man muss tief graben, um einen Hinweis auf eine Philosophin zu finden. Mary Wollstonecrafts bahnbrechendes Werk verschwand im schwarzen Loch der Geschichte, nachdem ihr Witwer seine Memoiren veröffentlicht und so ihren Ruf für fast ein Jahrhundert zerstört hatte.

Der männliche Blick zieht sich wie ein roter Faden auch durch die gesamte Geschichte der Wirtschaft und ihrer Theorie. Von unseren heutigen Deutungen der Volkswirtschaften und der Rolle von Eigentum, Kapital, Arbeit und Geld wurde kaum etwas durch die weibliche Linse gesehen. Kein Wunder, werden Geld und Finanzen weitgehend mit Männern assoziiert.

Selbst das Brettspiel Monopoly hat eine stark männliche Konnotation mit dem skurrilen Männlein mit Zylinder und Stock als Symbolfigur, obwohl das Konzept tatsächlich von Elizabeth »Lizzie« Magie stammt – ein Stück Geschichte, das offenbar unterging, oder ein Geheimnis, das für fast ein Jahrhundert gut gehütet wurde.[22]

Frauen, die Bahnbrechendes auf ihrem Gebiet leisteten und Grenzen überschritten, gelten als extrem risikofreudig, obwohl die entsprechenden Risiken als eher gering zu veranschlagen wären, wenn ihnen nicht rechtliche Hürden, gesellschaftliche Beschränkungen, wirtschaftliche Zwänge und ein einengendes kulturelles Umfeld im Weg gestanden hätten. Und noch heute stoßen Frauen auf dem Weg zur vollen

Gleichstellung auf subtile Hürden, die sie mühselig überwinden müssen. Sie gehen täglich Risiken ein, die aber denjenigen verborgen bleiben, die wegen ihrer Privilegierung nicht betroffen sind.

Warum sich Frauen Verzicht nicht leisten können

Die eigentliche Frage, die mir schlaflose Nächte bereitete, lautet: Wie viel verlieren Frauen, wenn sie sich durch männliche Botschaften über das Geld abschrecken lassen und sich weniger darum kümmern, dass ihre Finanzen Früchte tragen? Wie schon ein berühmtes, Einstein untergeschobenes Zitat besagt, ist der Zinseszins-Effekt die mächtigste Kraft im Universum: »Derjenige, der ihn versteht, verdient an ihm. Und derjenige, der ihn nicht versteht, bezahlt ihn.« Dem kann man hinzufügen: »Diejenige, die ihn nicht versteht, verliert gewaltig.« Trotz der Bedeutung dieser universellen Kraft ist unser Gehirn offenbar falsch verschaltet, um den langfristigen Effekt von Zinseszinsen zu begreifen. Das sei mit einem Zahlenspiel verdeutlicht:

Fakten und Zahlen

Wer heute über 10.000 Franken (oder Euro, Dollar oder was auch immer) an Ersparnissen verfügt und sie auf zehn Jahre mit einem Zinssatz von 3 Prozent per annum anlegt, kassiert mit Zinseszins am Ende knapp 13.500 Franken. Auf drei Jahrzehnte angelegt, liefen über 24.000 Franken auf. Fügte man der Geldanlage jährlich 1000 Franken (10 Prozent) hinzu, würde man nach 30 Jahren 73.000 Franken in die Kasse bekommen. Über 40 Jahre ergäben sich 110.000 Franken.

Kurz, wenn eine 25-Jährige etwas Geld gespart hat und jedes Jahr weiterhin ein wenig beiseitelegen kann, um es langfristig und ausgewogen anzulegen, bietet sich ihr der rosige Ausblick, ihr Erspartes bis zu einem Renteneintritt mit 65 Jahren potenziell mehr als zu verzehnfachen.

Wer erst mit 45 Jahren mit 10.000 Franken einsteigt (und jährlich weitere 1000 Franken anlegt), erhält (unter sonst gleichen Bedingungen) beim Renteneintritt 20 Jahre später nur rund 45.700 Franken.

Angenommen, dass die Anlage bei geringerer Risikofreude und einer Laufzeit von 40 Jahren (unter sonst gleichen Bedingungen) jährlich statt 3 nur 2 Prozent Zinsen abwirft, dann stünde man am Ende anstatt mit über 110.000 Franken mit nur knapp 84.000 Franken da. Die Wohlstandslücke beträgt 30 Prozent. Die Risikotoleranz ist einer der wichtigsten Faktoren bei der Vermögensbildung. Und Frauen sind besonders anfällig dafür, entsprechende Risiken zu scheuen.

Rechnen auf lange und auf längste Sicht

Bei der Bewirtschaftung von Geld zählt die langfristige Perspektive am meisten. Die entscheidende Frage lautet dabei, wie lange Langfristigkeit eigentlich dauert. In welchem Zeithorizont denken wir an Geld und Investitionen? Sorgen wir für die nächsten paar Jahre oder fürs nächste Jahrzehnt vor? Welche Risiken würden wir in Kauf nehmen, wenn wir die Laufzeit von Geldanlagen verlängern? Und was würden wir ändern, wenn wir an Investitionen über eine gesamte Lebenszeit hinweg denken?

Wenn diszipliniertes Sparen und Anlegen doch rundum sinnvoll erscheint, warum geht dann nicht jeder diesen Weg? Nun, zuallererst einmal deshalb, weil man eher schwer eine 25-Jährige finden dürfte, die ernsthaft über ihre finanzielle Absicherung im Alter von 65 und aufwärts nachdenkt. Zweitens haben viele 25-Jährige Kredite aufgenommen, um ein Studium zu finanzieren, sodass die oben dargelegte Dynamik gegen sie arbeitet: Hier schmälern Zinseszinsen ihre Fähigkeit, ihren Kredit möglichst schnell abzuzahlen. Vorausgesetzt wird zudem ein geregeltes Einkommen, das einen angemessenen Lebensstil ermöglicht, ganz zu schweigen davon, langfristige Ersparnisse anzulegen. Dann taucht der Wunsch auf, sich einen besseren Lebensstil zu leisten oder gar eine Familie zu planen und ein Eigenheim zu kaufen. Bedürfnisse im Ruhestand stehen wahrscheinlich noch mit 35 Jahren in den Überlegungen nicht an erster Stelle. Wohl um ein Alter von 45 Jahren werden Altersbezüge allmählich zu einem Gesprächsthema – aber bis dahin sind die Vorteile schon zur Hälfte dahin.

Die oben dargelegten schlichten Zahlen wirken offenbar als lauter Weckruf auf alle, denen man sie vorlegt. Jeder stimmt damit überein, dass es absolut sinnvoll ist, Ersparnisse für einen sehr langen Zeitraum gut anzulegen. Und wenn man es schafft, jährlich 10 Prozent zusätzlich beiseitezulegen, kann man sein Vermögen bis zum Renteneintritt mehr als verzehnfachen.[23] Als Ergebnis einer Kombination aus diszipliniertem Sparen und der Vermehrung des Angesparten durch diszipliniertes Investieren. Im Licht dieses anschaulichen Beispiels ist wohl deutlich geworden, dass ein Lebensplan wirklich zählt. Besonders langfristige Planungen sind wohl das Allerwichtigste, was man für seine Finanzen tun kann. Aber das wird weder zu Hause noch in der Schule oder am Arbeitsplatz gelehrt - und manchmal nicht einmal von Finanzberatern. Unsere Gesellschaft ist offenbar einem kurz- bis mittelfristigen Finanzhorizont verhaftet, während wir gleichzeitig danach streben, die Grenzen unserer Lebenszeit immer weiter auszudehnen. Wir planen, über ein Jahrhundert lang zu leben, neigen aber zu Finanzplanungen, die bestenfalls ein Jahrzehnt umfassen. Sind wir gewappnet für ein Leben, das bereits heute schon 100 Jahre dauern kann?

Vier entscheidende Besorgnisse tauchen auf, wenn man diese Fragen unter dem Aspekt des Geschlechts betrachtet.

Eine Frau lebt mit hoher Wahrscheinlichkeit länger als ein Mann. Das in ihrem Erwerbsleben Zurückgelegte muss ihr länger reichen, sodass ihre Langlebigkeit ihren Lebensstandard gefährden könnte. Wie viel sie spart und wie sie investiert, ist entscheidend dabei, zu verhindern, dass ihr vor dem Lebensende das Geld ausgeht.

Wie wirken sich geschlechtsspezifische Lohngefälle, flexible Arbeit und Berufspausen aus: All diese Faktoren verringern im gesamten Erwerbsalter einer Frau potenziell ihr Einkommen und ihre Rücklagen. Auf die Vermögensbildung kann sich dies langfristig verheerend auswirken. Anhand von Simulationen lässt sich beziffern, wie viel dabei auf dem Spiel steht und was dies für die Lebensplanung von Frauen bedeutet.

Warum scheuen viele Frauen bei Geldanlagen Risiken stärker als Männer? Eine Vielzahl an Belegen aus der gesamten Finanzbranche deutet darauf hin, dass Frauen beim Anlegen von Geld auf höhere Anteile an liquiden Mitteln und Anlagen mit geringem Risiko setzen. Schlicht ausgedrückt, hat es zur Folge, dass Frauen mit ihrem Vermögen insgesamt eine geringere Rendite erwirtschaften als Männer. Um auf das obige Beispiel zurückzukommen: Wenn eine Frau ihre Vermögenswerte niedriger verzinst anlegt, führt dies beim Eintritt in den Ruhestand möglicherweise zu einer Vermögenslücke von über 30 Prozent. Und das setzt noch voraus, dass sie schon mit 25 Jahren klug genug war, um sehr langfristig fürs Alter zu sparen. Wenn sie Risiken scheut, steht sie am Ende mit deutlich weniger Wohlstand da, der ihr, verglichen mit einem Mann, noch dazu länger reichen muss. Eine Risikoaversion ist für Frauen wohl eher kein besonders rationales Verhalten.

Schließlich ist das Phänomen einer Verweigerungshaltung in Sachen Finanzmanagement unter Frauen weit verbreitet: Viele lassen sich auf eine Planung und Verwaltung langfristiger Anlagen erst gar nicht ein – bis unglückliche Lebensumstände sie dazu zwingen. So ist eher unwahrscheinlich, dass sich eine Frau schon früh in ihrem Leben idealerweise einen gut durchdachten Finanzplan erstellt hat.

Riskieren Frauen, dass ihnen vor dem Lebensende das Geld ausgeht?

Langlebigkeit ist fantastisch, solange man gesund bleibt und - sehr wichtig - einem das Geld nicht ausgeht. Die Lebenserwartung hat sich dank des medizinischen Fortschritts seit Ende des 19. Jahrhunderts verdoppelt. Heute besteht für ein Neugeborenes in OECD-Staaten die durchschnittliche Erwartung, dass es dereinst gesund in den Ruhestand gehen und 78 (Jungen) bzw. 83 (Mädchen) Jahre alt werden wird.[24] Die Vorstellung von einem durchschnittlichen Leben, das ein Jahrhundert währt, ist bereits heute keine Science-Fiction oder ferne Möglichkeit mehr.

Inwieweit die heute Geborenen ihren Ruhestand genießen und sich einen stabilen und abgesicherten Lebensstandard leisten können, steht freilich auf einem anderen Blatt geschrieben. Pensionsfonds und soziale Sicherungssysteme wurden im späten 19. Jahrhundert für eine Welt konzipiert, in der ein Ruhestand nur ein paar Jahre, nicht mehrere Jahrzehnte dauerte. Und nur ein Bruchteil der Bevölkerung erreichte überhaupt ein Alter, um eine Rente zu genießen.[25] Heute beträgt die Lebenserwartung bei Eintritt in den Ruhestand durchschnittlich zwei Jahrzehnte,[26] ein Zeitraum, für den die gesetzlichen Rentensysteme die erwünschten Lebensstile nicht mehr finanzieren können.[27] Ein belastbarer lebenslanger Plan für die Altersvorsorge ist notwendig, um die längere Lebensspanne im Ruhestand finanziell abzusichern.

Für ein Mädchen, das heute geboren wird, sind die Aussichten leider noch düsterer als für Jungen. Gendergaps bei Einkommen, Wohlstand und Altersbezügen, gekoppelt mit der höheren Lebenserwartung, wirken wie ein Giftcocktail in einer Gesellschaft, in der immer mehr Frauen Altersarmut riskieren. Die sozioökonomischen Probleme einer alternden Gesellschaft sind zunehmend die der Frauen.[28] Und neben der Lebenserwartung sind auch die Scheidungs- und Trennungsraten gestiegen – in den letzten 60 Jahren um 251 Prozent.[29]

Wegen dieser beiden Faktoren – höhere Lebenserwartung und ein höheres Risiko für einschneidende Ereignisse wie Scheidung – wird mehrheitlich den Frauen die alleinige Verantwortung zufallen, sich um ihre Finanzen zu kümmern. Trotz der tiefgreifenden und weitreichenden Finanzinnovationen in den letzten Jahrzehnten ist das Kernproblem offenbar noch von niemandem richtig angegangen oder gelöst worden: Zahlreiche Frauen riskieren, dass ihnen vor Lebensende das Geld ausgeht.

Deshalb ist es ein gesellschaftliches Muss, die wirtschaftlichen und sozialen Folgen der Langlebigkeit durch die geschlechtsspezifische Linse zu betrachten und nachzuvollziehen, wie Langlebigkeit, die Erwerbs- und Sparmuster sowie das Anlageverhalten von Frauen zusammenspielen. Wenn man die Folgen der Einkommensgefälle auf die Vermögensbildung und die Lebensstandards im Ruhestand untersucht, erkennt man schnell, in welchem Umfang speziell Frauen Risiken ausgesetzt sind. Auch die unterschiedlichen Wahrnehmungen von finanzieller Risikobereitschaft müssen dabei in Betracht gezogen werden.

Vorsicht vor Lücken und Fallen

Lohnlücke[30], Vermögenslücke und Rentenlücke: Diese drei Gendergaps beeinträchtigen die Vermögensbildung von Frauen erheblich. Und im Verbund stellen sie ein erhebliches Risiko dar, weil sie den Lebensstandard im Alter gewaltig schmälern können. Obwohl diese Phänomene keineswegs neu sind, ist bislang wenig geschehen, um die Größenordnung dieser Lücken über eine Lebensspanne hinweg zu beziffern. Wie viel steht auf dem Spiel?

Wie summiert sich die geschlechtsspezifische Lohnlücke einer Frau zu Beginn eines Erwerbslebens bis zu ihrem Eintritt in den Ruhestand? Lohngefälle beeinträchtigen die Einkommen im Verlauf der Jahrzehnte erheblich und mindern bei Frauen zunehmend die Fähigkeit zur Vermögensbildung. Überflüssig zu sagen, dass zahlreiche Annahmen notwendig sind, um ein Erwerbsleben mit Ausgaben, Ersparnissen und Geldanlagen zu simulieren. Auch wenn es keineswegs simpel ist, die Parameter zu justieren, gibt eine Modellierung dieser Geldflüsse im Verlauf eines Lebenszyklus einen Hinweis darauf, wie stark sich ein Lohngefälle auswirken kann. Das unschöne Bild, das sich ergibt, hat sogar die Forscher schockiert, die die Berechnungen durchgeführt hatten.[31] Eine Lohnlücke von 10 Prozent kann zu einer Vermögenslücke von fast 40 Prozent führen. Und diese ganze Rechnung gilt für einen Vollzeitjob. Frauen und Mütter haben es also mit erheblichen wirtschaftlichen Nachteilen zu tun. Wenn eine Frau weniger als ein Mann verdient, (wegen Betreuungsleistungen) eine Erwerbspause einlegen muss und mitunter Teilzeit arbeitet, kann sich angesichts der längeren

Lebensspanne die Wohlstandslücke so weit auftun, dass ihr vor Lebensende das Geld auszugehen droht.

Es ist traurige Realität, dass eine geschlechtsspezifische Lohnlücke von 10 Prozent gegenüber der derzeitigen Lage in den Volkswirtschaften weltweit bereits eine erhebliche Verbesserung bedeuten würde. Das Bild ist weitaus düsterer. In Europa betrug die Lohnlücke von Frauen 2015 im Durchschnitt 16,3 und in Deutschland sogar 21 Prozent.[32] Selbst bei Vollzeitarbeit ist der Vermögensaufbau für Frauen unwiderruflich gefährdet, wenn die Lohnlücke 10 Prozent übersteigt. Liegt sie sogar bei 20 Prozent, weitet sich die Vermögenslücke von 38 auf 85 Prozent aus: die Möglichkeit, Geld fürs Alter zurückzulegen, geht fast komplett verloren.

Ihre Langlebigkeit birgt ein hohes Risiko für eine finanzielle Abhängigkeit der Frau von anderen.

Einkommensgefälle sind der einflussreichste Faktor, der sich auf die finanzielle Unabhängigkeit von Frauen und ihren Lebensstandard auswirkt, insbesondere in den späten Jahren. Dieser Faktor macht entscheidend deutlich, welche Bedeutung der Lohnpolitik für die Emanzipation und die Unabhängigkeit der Frauen zukommt. Gesetze zur Transparenz von Einkommen müssen eine wichtige Rolle dabei spielen, gleiche Verhältnisse herzustellen. Tatsächlich sind sie nicht nur gerechtigkeitshalber ein Muss, sondern auch ein sozialer Imperativ, um mehr Bewusstsein zu schaffen und weiblicher Altersarmut vorzubeugen.

Überdies klaffen Wohlstandslücken noch weiter auf, wenn Frauen weniger risikofreudig als Männern sind: Risikotoleranz ist der Schlüsselfaktor bei der Vermögensbildung. »Die Einstellungen zum Risiko und ihre Auswirkungen auf

Entscheidungen zur Vermögensaufteilung sind ein grundlegender Bestimmungsfaktor für die finanzielle Absicherung im Alter.«[33] Frauen neigen eher zu sicheren Anlagen und räumen dem Erhalt ihres Vermögens höhere Priorität als seiner Vermehrung ein. Dabei zeigt eine objektive wirtschaftliche Analyse, dass Frauen eigentlich höhere finanzielle Risiken als Männer in Kauf nehmen sollten, um ihre längere Lebensspanne zu finanzieren.[34] Warum sitzen Frauen in dieser »Sicherheitsfalle« fest? Ihre finanziellen Entscheidungen (Vermögenserhalt) erscheinen kurzfristig wohl optimal, stehen ihnen tatsächlich aber im Wege, um langfristigere finanzielle Ziele (Lebensqualität im Ruhestand) zu erreichen. Sind Frauen von Natur aus eher risikoscheu oder liegt solchem Verhalten nur ein Vorurteil in der Wahrnehmung von Risiken zugrunde?

Irrige Vorstellungen von der weiblichen Risikoaversion entlarven

Über Unterschiede im Verhalten, in den Einstellungen, Charakterzügen, kognitiven Fähigkeiten, der Entschlusskraft usw. zwischen den Geschlechtern sind schon Ströme von Tinte vergossen worden. Demnach seien Frauen vorsichtiger, weniger selbstbewusst und weniger aggressiv. »Männer sind eher [...] wettbewerbsorientiert, optimistisch, abenteuerlustig und übermäßig selbstsicher«, während »Frauen den Ungewissheiten und dem Druck an den Finanzmärkten eher mit pessimistischen Einstellungen begegnen«.[35] Dennoch hat die unterschiedlich große Risikotoleranz der Geschlechter offenbar wenig mit biologischen oder evolutionären Anlagen zu tun. Und voreilige Schlüsse aus statistischen Ergebnissen und Verallgemeinerungen sind mit Vorsicht zu behandeln. Dass »Frauen risikoscheuer als Männer« seien, lässt sich empirisch weder beweisen noch widerlegen.[36] Die beobachteten Unterschiede in der Toleranz und Wahrnehmung von Risiken rühren von tief verwurzelten sozialen und kulturellen Ungleichbehandlungen her, die über Jahrhunderte dafür sorgten, dass Frauen zu Beschäftigung, Wahlrechten, Eigentum und Kapital nur stark eingeschränkt Zugang hatten. Auch wenn einige Barrieren noch immer strukturell sind, rühren viele von kulturellen Einstellungen und besonderen Lebensumständen her.

Vielfältige Faktoren beeinflussen die Risikofreude der Menschen, von der familiären Prägung über Bildung, Arbeit, Erfahrungen, Familienstand sowie der Anzahl der von ihnen Abhängigen bis hin zu Gesundheit und Alter. Und wie Risiken wahrgenommen werden, ist ebenfalls von gewaltiger Bedeutung.

Einer der wichtigsten Faktoren bei der Risikotoleranz ist offenbar das Alter:[37] Je älter Menschen werden, desto eher scheuen sie Risiken. Relevant erscheint zudem der Familienstand, weil er mit Verantwortung einhergeht, sowie die Anzahl der in Abhängigkeit stehenden Personen. Dabei ist interessant, dass Verheiratete automatisch auch ein erhöhtes Risiko haben, das Gesicht zu verlieren, wenn sie mit riskanten Anlagen Geld in den Sand setzen. Allerdings können Verluste in einer Familie mitunter besser abgefedert werden, weshalb die Forschung keinen endgültigen Nachweis erbringen konnte, wie sich der Familienstand auf die Risikotoleranz auswirkt. Tatsächlich gibt es einen positiven Zusammenhang zwischen höheren Einkommen und Nettovermögen (auch bei Doppelverdienern mit doppeltem Vermögen) und einer höheren Risikotoleranz: Wenn der Verdienst eventuelle

Verluste ausgleichen kann, werden Risiken leichter in Kauf genommen – und ebenso bei Vermögen ab einer Größenordnung, ab der gewisse Verluste den Lebensstandard kaum noch beeinträchtigen.[38]

Generell erscheint die Risikotoleranz am höchsten bei alleinstehenden, gefolgt von verheirateten Männern, und nimmt bei alleinstehenden und schließlich verheirateten Frauen zunehmend ab.[39] Überdies deutet einiges darauf hin, dass Frauen und Männer auf Risiken mitunter unterschiedlich reagieren, wenn Entscheidungen unter Stress getroffen werden.[40] Wohl deswegen treffen Männer und Frauen gemeinsam die besseren Entscheidungen.

Als Doug Sundheim sein Buch *Taking Smart Risks* verfasste, fiel ihm denn auch auf, dass sich weniger als ein Viertel seiner Storys mit Frauen befasste: »Vielleicht haben Frauen andere Vorstellungen von Risiken, und ich habe schlicht nicht durch die richtige Linse geblickt.«[41] Die verzerrte Wahrnehmung lässt die bestehenden Unterschiede in der Risikobereitschaft größer erscheinen, als sie tatsächlich sind. Ihretwegen erhalten Frauen, wenn sie Risiken eingehen, dann auch weniger Unterstützung. Die Annahme, Frauen seien von Natur aus eher risikoscheu, kann sich doppelt negativ auswirken: »Wenn eine Frau an einen Finanzberater gerät, der sich auf falsche Urteile über Frauen und Risiken stützt, leitet er sie am Ende in eine falsche finanzielle Zukunft. Aber wenn Frauen an dieselben Mythen glauben, landen sie auch ohne Berater bei einer schlechteren Rendite. Solange diese Klischees bestehen, sind Frauen mit und ohne Berater zur Benachteiligung verdammt.«[42]

Oft verstärken sich Wahrnehmungen, wonach Frauen eine geringere Risikotoleranz hätten, durch unsere eigenen Stereotype, Überzeugungen, Erfahrungen und Gefühle von selbst. Es ist Zeit, innere und äußere Barrieren niederzureißen, indem nicht nur die bestehenden Gesellschaftssysteme und Geschäftsabläufe infrage gestellt werden, die zu Einkommens- und Vermögensunterschieden führen, sondern auch Verhaltensweisen und Denkabläufe. Was Frauen für sich kurzfristig als gut erachten, stellt sich langfristig mitunter als verheerend heraus.

Anlegerinnen erleben häufig Reaktionen wie: »Ich bin nicht reich genug, um Risiken einzugehen.« Oder: »Ich kann mir Verluste überhaupt nicht leisten und deswegen auch keine Risiken eingehen.« Ganz auf Nummer sicher zu gehen, mag kurzfristig sinnvoll erscheinen, aber wenn man die Entscheidung langfristig bewertet, stellt man womöglich überrascht fest, wie ungünstig sie gewesen ist. Die Äußerungen dieser Frauen mögen mittel- oder langfristige Erwägungen widerspiegeln, aber steht hinter ihnen wirklich ein »Lebensplan«? Warum scheinen so viele Frauen überzeugt, dass sie sich Risiken nicht leisten können, wenn es um ihre Finanzen geht? Um aufzuzeigen, wie schwer es ist, die Botschaften über Geld von impliziten Vorurteilen zu befreien und mit falschen Vorstellungen von Risiken aufzuräumen, soll folgendes Gedankenspiel helfen: Was, wenn der Ratschlag, »sein Geld in Sicherheit zu bringen«, sich als der schlechteste entpuppte, den man je erhalten hat? Für eine Lebenserwartung von 100 Jahren zu planen, zwingt – insbesondere Frauen – dazu, die Wahrnehmung von langfristigen Risiken und deren Kosten-Nutzen-Verhältnis zu überdenken. Was, wenn sich diese

Frauen aus der »Sicherheitsfalle« befreien und besser antworten würden: »Ich bin nicht reich genug, um KEINE Risiken in Kauf zu nehmen«?

Lebensphasen, die für Frauen entscheidend sind und ihre Risikofreude beeinflussen

Die Risikotoleranz muss immer vor dem jeweiligen Hintergrund betrachtet und dabei im Blick behalten werden, dass sie keineswegs statisch ist: Sie variiert mit der Zeit und kann sich je nach den Lebensumständen, dem sich wandelnden kulturellen Umfeld und dem gesellschaftlichen und wirtschaftlichen Fortschritt verändern. Persönliche Erfahrungen, wechselnde Lebensumstände, spezielle historische kulturelle Normen und gegenwärtige gesellschaftliche Erwartungen bilden eine Kombination, die für Frauen besondere Risiken birgt und wegen der sie eher vorsichtig sind, sich weiteren Risiken auszusetzen. Und dabei ist wichtig: »Wie viele Risiken jemand in Kauf nimmt, hängt davon ab, wie bewusst ihm alle seine Optionen in einem vorgegebenen Umfeld sind.«[43] Sechs entscheidende Lebensphasen bergen für Frauen Risiken[44] und beeinflussen ihren jeweiligen Weg zu Vermögen und ihre Fähigkeit, finanzielle Risiken einzugehen:

1. Elternhaus, Schulbesuch und Ausbildung: Mit ihren Ausbildungs- und Berufsentscheidungen stellen Frauen Weichen, über die sie schon bei Eintritt ins Erwerbsleben ins Hintertreffen geraten können. Sie sind in schlechter bezahlten Tätigkeiten wie Verwaltungs- und Sekretariatsaufgaben, Pflege und Betreuung sowie anderen Dienstleistungen überrepräsentiert und können deswegen schlechter fürs Alter vorsorgen.[45] Mädchen werden ab frühester Zeit mit Vorbildern konfrontiert, die ihre Vorstellungen von ihrem künftigen Leben prägen: »Man kann nicht sein, was man nicht sieht«.[46]

2. Einstieg oder Wiedereinstieg ins Berufsleben: Karriereentscheidungen und Einkommensgefälle beeinträchtigen junge Frauen stärker als Männer in ihrer Fähigkeit, Geld anzusparen und ihren Studienkredit abzuzahlen. Und wenn Frauen später nach einer Pause (durch eine Schwangerschaft oder einen Pflegefall) erneut in den Beruf eintreten, müssen sie häufig Lohnlücken und langsamere Gehaltssteigerungen in Kauf nehmen. Arbeitslosigkeit oder andere Krisen treffen sie dann umso härter.

3. Beziehungen eingehen und auflösen: Auch wenn jede Beziehungskarriere einzigartig verläuft, lässt sich jedoch ein Trend ausmachen, dass Frauen die Eheschließung hinauszögern, um ihre Berufslaufbahn zu verfolgen, und dass sie unabhängig von einer Beziehung entscheiden, ob sie in Gemeinschaft oder allein

leben. Die Scheidungsraten steigen in den letzten Jahrzehnten, auch der Anteil an »grauen Scheidungen« (im Alter von über 50 Jahren) hat zugenommen. Finanzielle Unabhängigkeit ist entscheidend für Frauen, um die Lasten zu tragen, die veränderte Lebensumstände mit sich bringen können. Trennungen können sich auf Wohneigentum auswirken und bei langwierigen Auseinandersetzungen mit unerwarteten finanziellen Belastungen einhergehen.

4. Mutterschaft und Kinderbetreuung: »Finanzielle Unabhängigkeit ist schwer erreichbar für Frauen, die Teilzeit arbeiten oder berufliche Auszeiten nehmen, um Kinder zu betreuen.«[47] Sicher kann man – und soll auch – nicht auf Heller und Pfennig ausrechnen, was es bedeutet, seine eigenen Kinder aufzuziehen. Allerdings müssen sich Frauen, die den Beruf aufgeben, um Vollzeitmütter zu werden, über die langfristigen Folgen im Klaren sein. Oft rechnen sich Eltern aus, dass von einem Gehalt nach Abzug von Kinderbetreuungskosten und Steuern wenig übrig bleibt, sodass zu Hause zu bleiben auf kurze Sicht als die bessere Lösung erscheint – mit dem gewaltigen Vorteil, weitaus mehr Zeit mit den Kindern zu verbringen. Aber auf lange Sicht zeigt sich Weiterarbeiten als die bessere Option, wenn Frauen einkalkulieren, wie sich ihr Einkommen mittel- und langfristig entwickelt und auf ihre künftigen Ersparnisse auswirkt. Neuere Studien zeigen, dass Geburten, Kinderbetreuung und Pflege die Risikoaversion von

Frauen erheblich beeinflussen, weil sie durch sie größeren Unsicherheiten beim Einkommen ausgesetzt sind.[48]

5. Das spätere Leben, Planung für und Eintritt in den Ruhestand: Frauen brauchen höhere Rücklagen fürs Alter, wenn sie Jahrzehnte eines Ruhestands gut abgesichert verbringen wollen. Dass Alleinstehende höhere Lebenshaltungskosten haben,[49] bekommen viele Frauen zu spüren, die sich im fortgeschrittenen Alter getrennt oder den Partner verloren haben.

6. Krankheiten, Gebrechlichkeit und Sterben: Wegen der längeren Lebenserwartung verbringen weitaus mehr Frauen als Männer ihre letzten Jahre im Seniorenheim oder sind auf intensive häusliche Pflege angewiesen – oft mit hohen Kosten, die sie selbst oder ihre Kinder ungeplant finanziell belasten können. So sind Frauen bei der Weitergabe von Vermögen an die nächste Generation stärker als Männer eingeschränkt.
   Die Aussicht darauf, 100 Jahre alt zu werden, ist für beide Geschlechter mit der Sorge verbunden, Ressourcen aufzuzehren, Nachkommen weniger zu hinterlassen, der Familie zur Last zu fallen oder länger arbeiten zu müssen, um den Lebensstandard im Alter aufrechtzuerhalten.[50]

Auch wenn diese sechs »entscheidenden Lebensphasen« Risiken und Herausforderungen bergen, sollten sich Frauen zweimal überlegen, ob sie ihr Geld deswegen allzu risikoscheu anlegen. Neben der Planung für die kurzfristige Liquidität, mittelfristige Ausgaben und Reserven für »schlechte Zeiten« müssen Frauen einen Teil ihrer Mittel für den langfristigen Vermögensaufbau reservieren und dabei sorgfältig erwägen, welches Maß an Risikofreude dazu beiträgt, ihren langfristigen Finanzbedarf zu decken.

Warum haben Frauen immer noch so wenig finanzielles Selbstvertrauen?

In der heutigen Zeit eines gewaltigen wirtschaftlichen und gesellschaftlichen Fortschritts verfügen Frauen über bessere Ausbildungen und größeren Einfluss als jemals zuvor. Warum reagieren sie auf die Aussicht auf ein langes einzigartiges Leben noch immer mit der vermeintlich wohl begründeten Haltung, ihr Geld »im sicheren Hafen« hüten zu wollen? Warum unternehmen sie wenig oder nichts, um es aktiv zu bewirtschaften? Und warum delegieren sie die Verantwortung für ihre Finanzen häufig immer noch an den Partner? Was hindert Frauen heutzutage daran, sich selbst um ihr Geld zu kümmern und ihre finanzielle Zukunft in die eigene Hand zu nehmen? Offenbar mangelndes Selbstvertrauen.

Wie Untersuchungen von Fidelity Investments von 2017 zeigten, glaubte nur eine von zehn weiblichen Befragten, dass Frauen beim Sparen und Anlegen erfolgreicher als Männer seien.[51] Fehlendes finanzielles Selbstvertrauen erscheint als eine der letzten Hürden, die einer echten Gleichstellung und weiblicher Unabhängigkeit noch im Wege stehen. »Es ist besorgniserregend, dass so viele Frauen das eigene Können im Umgang mit Geld in einem so düsteren Licht sehen. Unabhängig vom Bildungsniveau und den persönlichen oder beruflichen Leistungen zweifeln viele Frauen immer noch an ihrer Fähigkeit, erfolgreich investieren zu können.«[52]

Aufs Ganze gesehen sind Anlegerinnen konservativer als Anleger und neigen eher zu Spareinlagen und Investitionen mit geringen Risiken. Untersuchungen von Merrill Lynch sprechen dafür, dass »der geschlechtsspezifische Unterschied, der auf das Anlageverhalten anscheinend den größten Einfluss hat, das Maß an Finanzwissen ist, das Männern und Frauen zugesprochen wird«.[53] Interessanterweise glaubten über zwei Drittel der befragten Frauen, dass sie im Anlegen eher unerfahren seien. Ähnliche Ergebnisse erbrachten Untersuchungen von Prudential, in denen weibliche Befragte ihr Wissen auf einer Skala von ganz gut bis ganz schlecht in folgenden Bereichen einstuften:[54]

- Mit Schulden und Geld umgehen (alltägliche Finanzangelegenheiten).
- Einen Hypothekenkredit bekommen und Wohneigentum kaufen.
- Sich durch eine Lebensversicherung schützen.
- Geld fürs Alter zurücklegen.
- Für die Ausbildung eines Kindes sparen.
- Für regelmäßige Altersbezüge vorsorgen.
- Geld anlegen.

Je langfristiger die finanzielle Vorsorge, desto geringer veranschlagten Frauen ihr Wissen. Ähnlich bewerteten sich die

Männer, stufen sich aber bei den Geldanlagen und der Vorsorge für geregeltes Alterseinkommen höher ein. Ein wichtiger Aspekt ist dabei die Frage, ob Frauen tatsächlich über eine geringere Finanzkompetenz verfügen oder ob sie sich schlicht selbst unterschätzen. Einiges spricht dafür, dass sich Frauen weniger kompetent als Männer fühlen - eine sehr subjektive Einschätzung.[55]

Selbstvertrauen erscheint so als wichtigster Faktor, damit Frauen ihr Potenzial erschließen können. Eine Erhebung von Prudential zeigt, dass sich die befragten Frauen inzwischen klare finanzielle Ziele setzen, sich aber kluge Finanzentscheidungen immer noch nicht in stärkerem Maße zutrauen als die Befragten ein Jahrzehnt zuvor.[56] Beim finanziellen Selbstvertrauen hat sich die Schere in den letzten Jahren kein Stück geschlossen. Frauen trauen es sich ganz gut zu, kurzfristige finanzielle Ziele zu erreichen und im täglichen Umgang mit Geld zurechtzukommen, lassen sich aber nur zögerlich ganz darauf ein, aktiv ihre langfristigen finanziellen Ziele zu verfolgen. Die Haupthindernisse sind wohl:[57]

- Die Überzeugung, dass sie über ein zu geringes Einkommen verfügen, um in Geldanlagen einzusteigen.
- Fehlende Vertrautheit mit Finanzprodukten.
- Das Gefühl, nicht zu wissen, wo sie anfangen sollen.
- Fehlende Zeit, um sich der Finanzplanung zu widmen.

Das Deutsche Institut für Wirtschaftsforschung (DIW) untersuchte ebenfalls das Anlageverhalten von Frauen und kam zu dem Schluss, dass Frauen nicht von Natur aus risikoaversiv seien: Einfach ausgedrückt, wäre ihre Risikofreude größer, wenn sie über mehr Geld verfügten. Da sie nach wie vor nur rund halb so viel wie Männer investieren könnten, seien sie zu größerer Vorsicht gezwungen. Das mag der wahre Grund für ihre scheinbare Risikoaversion sein.[58] Wenn Frauen geringere Risiken eingehen, weil sie weniger vermögend sind, verstärkt sich ihre wirtschaftliche Benachteiligung folglich von selbst. Um dies zu ändern, müssen sie ihre Finanzen in die eigene Hand nehmen.

Zu den ersten der drei oben genannten Punkte: Keine Summe ist für einen Anfang zu gering, egal, wie groß das Wissen ist und ein Einstieg ist auch in kleinen Schritten möglich. Zum vierten Punkt: Dass »Zeit entscheidend ist«, gewinnt eine ganz neue Bedeutung vor dem Hintergrund, dass Frauen in Sachen Haushalt und Betreuungsleistungen weltweit bis zum Dreifachen der Lasten von Männern tragen. So bleibt für andere Beschäftigungen wenig Zeit. Hinzu kommt, dass Mütter in immer mehr Haushalten allein oder hauptsächlich die Familie ernähren. (In den USA 2011 in vier von zehn Haushalten, gegenüber einem von zehn 1960.)[59] Langfristige Finanzplanungen brauchen Zeit, Engagement und ständiges Dazulernen. Was, wenn die Antwort »Mir reicht die Zeit nicht, um mich um eine Finanzplanung zu kümmern« ersetzt würde durch: »Ich habe noch so viel Zeit vor mir, dass ich es mir NICHT leisten kann, auf eine Finanzplanung zu verzichten«? Einmal mehr muss althergebrachtes Denken infrage gestellt werden.

Hoffentlich macht folgende gute Nachricht allen Frauen Mut: Recherchen des Finanzdienstleisters Fidelity Investments zeigten, dass Frauen bei den Renditen ihrer Geldanlagen tendenziell besser abschneiden als Männer.[60] Frauen erzielen mitunter bessere Ergebnisse, weil sie eher Disziplin wahren anstatt auf jede Marktschwankung blitzschnell zu reagieren. Mit dieser positiven Nachricht im Rücken sollten Frauen gestärkt ihre finanzielle Zukunft in die eigene Hand nehmen können.

Warum ist die Dringlichkeit kaum bewusst?

Neben dem schwachen finanziellen Selbstvertrauen, gekoppelt an mangelnde proaktive Unterstützung durch die Finanzindustrie, stoßen Frauen auf eine weitere Hürde: die trügerische Sicherheit, die einem der Verzicht auf eine Auseinandersetzung mit den eigenen Finanzen vermittelt. Die Verantwortung für langfristige Finanzpläne dem Ehegatten oder Partner zu überlassen, ist mit hohen Risiken verbunden, sollte die Ehe in die Brüche gehen oder der Partner plötzlich schwer erkranken oder sogar sterben. Wie eine neuere Umfrage unter 1700 Ehepaaren in den USA zeigte, überlassen Ehefrauen zu mehr als die Hälfte Entscheidungen über Geldanlagen immer noch dem Gatten. Erstaunlicherweise liegt dieser Anteil bei den sogenannten Millennials (Generation Y), die ungefähr im Zeitraum zwischen 1980 und 2000 geboren wurden, sogar bei über 60 Prozent.[61] Dass jüngere Frauen darauf verzichten, langfristig finanziell vorzusorgen, bereitet zwar große Sorge, überrascht aber in gewisser Hinsicht keineswegs. Heutige Frauen in den Dreißigern sind in einem Jahrzehnt aufgewachsen, in dem sich die Berichterstattung in den Medien um »Bad Banks« drehte. Nach der globalen

Finanzkrise beherrschten berechtigterweise fehlende Ethik, Managementfehler und Führungsversagen in der Finanzindustrie die Meldungen. Die einhergehende Vertrauenskrise wirkte sich nachhaltig verheerend aus. Vor diesem Hintergrund erscheint es ganz logisch, dass das finanzielle Selbstbewusstsein von Frauen, die sich mit langfristigen Finanzfragen eher ungern beschäftigen, weiteren Schaden genommen hat.

Ein junges, werteorientiertes Publikum aus der Millennials-Generation kann sich wohl kaum etwas Unattraktiveres vorstellen als das Bankwesen. Wie Forschungen von Scratch in den Vereinigten Staaten 2014 offenbarten, gehen deren Vertreter lieber zum Zahnarzt, als einem Bankberater zuzuhören: Die größten vier US-Banken rangierten unter den zehn unbeliebtesten Marken in Amerika.[62] Ein Zahnarztbesuch kann ja auch erfreulich sein, wenn man nur freundlich daran erinnert wird, auf Zahnhygiene zu achten und die Zähne regelmäßig untersuchen und reinigen zu lassen. Es ist allgemein bekannt, dass Vorbeugen besser als Bohren ist. Und falls doch ein Eingriff fällig wird, macht ihn eine Betäubungsspritze einigermaßen erträglich.

Für den Schmerz und Schaden, den eine falsche Finanzberatung auslösen kann, gibt es keine Anästhesie.

In eine Bank einzutreten, ohne genau zu wissen, wonach man fragen soll, kann einen einschüchtern. Warum dann überhaupt in eine Bank gehen? Eine Suche im Internet schreckt deutlich weniger ab und ist in den eigenen vier Wänden zu bewerkstelligen. Digitale Finanzdienstleistungen sind sicher im Kommen, insbesondere beim Zahlungsverkehr. Das ist großartig für den kurzfristigen Bedarf und für selbständige

Anleger, die meinen, ihr Geld besser als Profis bewirtschaften zu können. (Nur muss dazugesagt werden, dass das leider in neun von zehn Fällen schiefgeht.) Aber ein tragfähiger Finanzplan fürs Leben ist schwer zu erstellen ohne eine angemessene Diskussion, bei der viele Fragen auftauchen und in die sämtliche Erfahrungen dazu einfließen, wie andere ähnliche Fragen gelöst haben. Sechs von zehn Witwen und Geschiedenen wünschten, sie hätten sich eingehender mit langfristigen Finanzentscheidungen auseinandergesetzt, und fast alle würden anderen Frauen raten, sich kundig zu machen und ihre finanzielle Zukunft aktiver zu gestalten.[63]

Was also können Frauen hier tun?

Die Kontrolle übernehmen: Was können Frauen tun?

Um den Teufelskreis zu durchbrechen, in dem einem die Kontrolle über die eigenen Finanzen – und damit die eigene Zukunft – immer mehr entgleitet, muss man keine Expertin in Finanzmanagement werden.

Knapp eine Million Ergebnisse spuckte Google am 19. Juli 2018 zum Suchbegriff »Finanzwissen« aus. Verfügbare Kenntnisse und Quellen, die sich anzapfen lassen, gibt es also zuhauf. Aber vielleicht liegt gerade darin das Problem. Wo anfangen? Nachfolgend eine Liste mit den praktischsten und nützlichsten Schritten, die jedem helfen können, seinen Umgang mit Geld zu verbessern, beruhend auf neuerer Literatur und jahrelanger Erfahrung mit Kundinnen.

Sich einlassen: Geldpflege zu einem Akt der Selbstsorge erheben und sich wohl dabei fühlen

Sich um sein Geld zu kümmern, ist so wichtig wie die Sorge um die eigene Gesundheit, das eigene Berufsleben oder die Familie und Angehörige. Dieser kontinuierliche Prozess, den es übers ganze Leben hinweg fortzusetzen gilt, muss zur Routine werden. Legen Sie einmal im Jahr einen »Geldtag« ein, so wie Sie zur Vorsorge oder zur Inspektion gehen oder einem Geburtstagskind gratulieren. Und feiern Sie die Tatsache, dass Sie Ihre finanzielle Zukunft in die eigene Hand nehmen. Machen Sie Geld guten Gewissens zum Gesprächsthema. Zögern Sie nicht, allen in Ihrem Umfeld rund ums Geld zahlreiche Fragen zu stellen: dem Partner, den Eltern, den Kindern und Freunden. Sie werden sehen: Manche haben ebenfalls Fragen und können möglicherweise wertvolle Erfahrungen beisteuern.

Erleichtern Sie sich den Einstieg: mit einer klaren Liste, wie viel Sie haben und wie viel Sie brauchen

Wie viel Geld besitzen Sie? Verfügen Sie über Wohneigentum? Wie viel haben Sie bislang für den Ruhestand zurückgelegt? Besitzen Sie wertvollen Schmuck, einen Wagen usw.? Listen Sie dagegen ihre Fixkosten auf, Raten einer Hypothek, eines Studienkredits oder anderer Schulden. Erstellen Sie einen Haushaltsplan und nehmen Sie die Posten unter die Lupe. Wenn Sie verheiratet sind oder in einer Beziehung leben, nutzen Sie die Liste, um mit dem Partner offen über ihre Verhältnisse zu reden. Wie viel hat und wie viel braucht jeder? Eine solche Diskussion ist anfangs vielleicht nicht ganz einfach, aber »Gespräche rund ums Geld« sind entscheidend, um wechselseitig Transparenz herzustellen und unliebsamen Überraschungen vorzubeugen, sollte ein unerwartetes Ereignis ins Leben treten. Dies kann einen enger zusammenbringen. (Falls nicht, gibt es vielleicht ein paar andere Probleme, die zuerst auf den Tisch müssen.)

Groß denken: Machen Sie sich eine Liste zum »Wo-will-ich-hin-im-Leben«

Es geht ganz um Sie (und vielleicht um Ihren Partner). Was ist Ihr Ziel? Was wollen Sie im Leben erreichen? Was ist Ihnen wichtig? Welche Werte sind Ihnen wichtig und wofür stehen Sie ein? Wie sieht Ihre Lebenssituation aus? Müssen Sie sich um ältere Familienmitglieder kümmern? Möchten Sie eine Firma gründen? Wollen Sie Ihren Kindern ein Studium im Ausland ermöglichen? Oder ein Jahr lang reisen? Alles große Fragen. Listen Sie einfach schriftlich auf, was Sie schon wissen und was in Zukunft möglicherweise auf Sie zukommen könnte. Reden Sie mit Ihrem Partner, Ihren Eltern, Kindern und Freunden, sofern es sie betrifft. Legen Sie gemeinsame und individuelle Prioritäten fest.

Entdecken Sie Ihr »finanzielles Ich«

Geld ist etwas sehr Persönliches. Es knüpft sich an unsere Hoffnungen, Träume und Ängste. Unabhängig davon, ob Sie es selbst verwalten oder sich bei einem Berater oder sogar einem Robo-Advisor Hilfe holen, ein Verständnis Ihres »finanziellen Ichs« stärkt Ihr Selbstvertrauen. Stellen Sie sich selbst folgende Fragen: Wie viel Sorge bereiten mir Geldverluste? Wie viel könnte ich verlieren, ohne meinen Lebensstandard zu gefährden? Zu welchen Risiken bin ich bereit, um in die Zukunft zu investieren? Wie komme ich mit den Wertschwankungen meiner Geldanlagen zurecht? Wie lange kann ich mein angelegtes Geld für mich arbeiten lassen? Wann brauche ich es? Sind mir bestimmte Werte wie Umweltbewusstsein wichtig und kann ich sie in meine Anlageentscheidungen einbringen? Investiere ich lieber in Vertrautes oder möchte ich breiter gefächerte Optionen ausprobieren? Erstellen Sie eine Liste mit den Antworten auf diese Fragen. Anhand von ihr kann ein Berater in einer Bank Ihre finanzielle Persönlichkeit und Ihr »Risikoprofil« ermitteln. Es ist sehr hilfreich, dass Sie sich Ihr »finanzielles Ich« bewusst machen, damit Sie überprüfen und sicherstellen können, dass Ihr Geld so angelegt wird, dass Sie ein gutes Gefühl dabei haben. Und es ermutigt Sie, immer wieder die richtigen Fragen zu stellen.

Nicht nur sparen, investieren

Wie in den vorigen Kapiteln bereits deutlich wurde, ist es vielleicht nicht die beste Idee, Geld auf dem sicheren Sparkonto zu parken. Der einfachste Weg, um in Investitionen einzusteigen, ist, erst einmal festzustellen, wie viel Geld man anlegen kann und möchte und es auf vier Bereiche zu verteilen:

- Für den heutigen und kurzfristigen Bedarf.
- Für den langfristigen Bedarf einschließlich fürs Alter.
- Für das, was Sie an Angehörige weiterreichen wollen oder was Sie für Kinder, Ihr Unternehmensprojekt, Ihren großen Plan wie eine Weltreise oder für Pflege von Familienangehörigen brauchen.
- Für das, was Sie begeistert: Investieren Sie eine (auch kleine) Summe in etwas, das Ihnen wirklich wichtig ist oder mit dem sie experimentieren wollen.

Für jeden dieser vier Bereiche brauchen Sie eine angemessene Anlagestrategie.

Suchen Sie sich einen vertrauenswürdigen Finanzexperten

Obwohl es einfach klingt, erweist sich dies als eines der größten Hindernisse, mit denen es Frauen zu tun bekommen. Wie Untersuchungen zeigen, fühlen sich vier von fünf

Anlegerinnen von ihrem Berater in ihren Bedürfnissen unverstanden oder nicht ernst genommen.[64] Unabhängig von der Größenordnung der anzulegenden Summe ist dringend empfohlen, sich nach einem zuverlässigen Finanzexperten umzuschauen, der bei der Suche nach Lösungen helfen kann, die wirklich Ihre Bedürfnisse abdecken. Das spart Zeit und Nerven und hilft mitunter, Fallen zu entgehen, die im Dschungel der vielfältigen Steuergesetze lauern. Sie können natürlich auch selbst umfangreiche Recherchen durchführen, aber warum nicht die ganze verfügbare Expertise nutzen, um kostbare Zeit zu sparen, mehr Einblick zu bekommen und sich von Fachpersonal die tragfähigsten Optionen vorschlagen lassen. Wenn Sie krank sind, können Sie Ihre Symptome bei Google eingeben und zur Selbstmedikation schreiten. Aber um erhebliche Risiken zu vermeiden, gehen Sie besser zu einem Arzt, der einen geschulten Blick für die beste Behandlung hat. Und womöglich wollen Sie nicht nur eine ärztliche Meinung hören. Ähnlich können Sie bei mehreren Finanzexperten Rat einholen und deren Vorschläge miteinander vergleichen. Sie selbst müssen nur einschätzen, ob die vorgeschlagenen Lösungen wirklich zu Ihrem »finanziellen Ich« und Ihren individuellen Zielen passen. Am wichtigsten und wahrscheinlich am schwierigsten ist es, den Experten zu finden, dem Sie wirklich vertrauen können. Dazu ist ein Fragenkatalog zur Überprüfung hilfreich: Welche Art Ratschläge wollen Sie überhaupt? Und wie wollen Sie mit dem Experten zusammenarbeiten? Brauchen Sie einen oder mehrere Berater? Verschiedene Finanzinstitute sind auf unterschiedliche Aspekte der Vermögensverwaltung spezialisiert, also gibt es keinen einheitlichen Ansatz für alle Anliegen. Nehmen Sie jedes infrage kommende Institut unter die Lupe. Welche Referenzen und welche Erfolgsbilanz kann es vorweisen? Wie sind seine Mitarbeiter qualifiziert? Diese Fragen sind besonders wichtig, wenn die Dienstleistung auf digitalem Weg erfolgt. Überprüfen Sie, ob das Institut auch eine Niederlassung hat, die Sie gegebenenfalls persönlich aufsuchen können. Spätestens wenn Sie Geld verlieren (und das ist unvermeidlich, wenn Märkte nervös werden), wollen Sie mit einem Ansprechpartner und nicht nur mit einer Hotline oder einem Chatbot kommunizieren. Erkundigen Sie sich eingehend nach anfallenden Gebühren: Verlangt der Anbieter Pauschalgebühren, Transaktionsgebühren oder eine Kombination aus beiden? Wie kommuniziert er mit Ihnen? Wie oft?

Als Nächstes sollten Sie feststellen, ob Sie nicht nur den richtigen Anbieter, sondern auch den richtigen Ansprechpartner gefunden haben. Ein guter Finanzberater bemüht sich, Ihre Anliegen und Ziele umfassend zu verstehen. Er hört erst einmal richtig zu, ehe er einen Vorschlag macht, schätzt ein, wie viel Sie von Geld tatsächlich verstehen, erklärt nachvollziehbar jeden Schritt und beantwortet jede Frage. (Scheuen Sie keine Frage. Wenn es um Ihr Geld geht, ist keine dumm. Fragen Sie so lange nach, bis die Antworten Sie zufriedenstellen.) Ein guter Berater erklärt transparent, welche Gebühren in relativen (Prozentsatz oder Basispunkte) und absoluten Zahlen anfallen. Er ist in der Lage, seine Empfehlungen eingehend zu erläutern. Und am wichtigsten: Er hört zu. Übereilen Sie in einem Gespräch keine Entscheidung, halten Sie keine Frage zurück und treffen Sie eine Entscheidung erst dann, wenn alle Bedenken ausgeräumt sind.

Es kann gar nicht oft genug betont werden: Wenn Sie sich in einem Finanzgespräch unwohl fühlen, sind nicht *Sie*, sondern Ihr Gegenüber am Tisch das Problem. Nehmen Sie dieses Problem nicht als *Ihr* Risiko in Kauf. Sie als Kundin haben das gute Recht, das Gespräch zu beenden, aufzustehen und zu gehen. Starten Sie einen neuen Versuch bei einem anderen Berater.

Diese sechs einfachen Schritte können Frauen dabei helfen, das notwendige Selbstvertrauen aufzubauen, um aus ihrem Geld das Beste zu machen und das Vorurteil in der Finanzwelt zu durchbrechen. Beim sechsten Punkt muss sich die Finanzbranche selbst eine Frage stellen: Warum hinkt sie dabei hinterher, gezielt Frauen in den Fokus zu nehmen und sie in ihren individuellen Bedürfnissen zu unterstützen? Warum klagen so viele Anlegerinnen, dass ihr Berater ihre Bedürfnisse nicht versteht? Die kurze Antwort lautet: weil es in vielen Finanzinstituten immer noch nicht einleuchtet, Frauen geschäftsmäßig als besondere Zielgruppe zu bedienen.[65] Tatsächlich herrscht nur in einer Minderheit die Überzeugung, dass auf weibliche Kundschaft auf eigene Weise eingegangen werden muss. Und den meisten ist nicht einmal bekannt, wie viele Frauen sie bedienen und in welchem Umfang sie von Frauen gehaltene Vermögenswerte verwalten. Diese Daten zu ermitteln und auszuwerten, erfordert einen besonderen Aufwand an Ressourcen. Es braucht viel Arbeit, um die Grundlinie für robuste Geschäftspläne zu erstellen, ohne die keine zweckbestimmten Ressourcen fließen. In einem kürzlich geführten Gespräch erwähnte Graça Machel, eine Galionsfigur im Kampf um finanzielle Einbeziehung auf dem ganzen afrikanischen Kontinent, dass »Frauen [dort] für den

Finanzsektor unsichtbar sind«. Dies gilt sicher für Länder, in denen Frauen keinen Zugang zu einem Bankkonto haben, aber leider auch für die entwickelte Welt, und zwar aus zwei Gründen:

- Ein erheblicher Anteil an Frauen verfügt immer noch über kein eigenes Spar- oder Girokonto unter eigenem Namen.[66]
- Selbst Frauen, die ein Konto haben, sind für den Finanzsektor irgendwie unsichtbar, weil viele Banken nicht einmal wissen, wie viele Kundinnen sie bedienen. Wenige Institutionen haben interne Reporte, in denen die Finanzindikatoren (Anzahl der Kunden und Konten, Einkommen, Vermögenswerte, Kredite usw.) nach Geschlechtern gesplittet ausgewiesen sind. Und noch weniger veröffentlichen externe Daten nach Geschlechtern getrennt. Trotz Fortschritten ist es noch ein weiter Weg bis zu dem Maß an Transparenz, das Handeln zwingend macht.

Dass Frauen zunehmend privates Vermögen kontrollieren, beschleunigt durch die demografische Dynamik, die wachsende Anzahl an Unternehmerinnen und steigende Scheidungsraten, bedeutet für die Finanzindustrie einen Richtungswechsel, der auch gewaltige Chancen bietet. Sie kann eine weibliche Zukunft mitgestalten, indem sie das finanzielle Selbstvertrauen und Finanzwissen von Frauen stärkt. Es ist Zeit, dass Botschaften über Geld geschlechtsneutral werden und Finanzdienstleistungen und Erkenntnisse, die auf Frauen abzielen, geschaffen werden.

Boden gewinnen: die Notwendigkeit eines kohärenten Ökosystems

»Die beste Zeit, einen Baum zu pflanzen,
war vor 20 Jahren. Die zweitbeste ist jetzt.«
Chinesisches Sprichwort

Wie sehen die ökonomischen Folgen aus, wenn mehr Frauen mit Männern gleichrangig an der Weltwirtschaft teilhaben? Welche Trends sind mit Blick auf die wirtschaftlichen Auswirkungen zu erwarten, wenn Frauen größere Kontrolle über den Wohlstand gewinnen? Lässt sich privater Wohlstand so mobilisieren, dass er die Gleichstellung der Geschlechter beschleunigt? Und welche Rolle können der öffentliche und der private Sektor dabei spielen, das »Gender-Mainstreaming« zu fördern?

Die Makrodaten zeichnen ein klares Bild: Die Gleichstellung der Geschlechter birgt gewaltige wirtschaftliche

Chancen.[67] Gleichheit ist gut für das Wachstum und kann weltweit zu einer Beschleunigung der Wertschöpfung führen. Es folgen nun einige greifbare Maßnahmen, mit denen unterschiedliche Akteure quer durch die sozioökonomische Landschaft die Gleichstellung unterstützen und die Risiken mindern können, die sich für Frauen aus der Ungleichbehandlung ergeben.

Unternehmer

Unternehmer rund um die Welt spielen eine Schlüsselrolle dabei, gegen Intransparenz vorzugehen und Licht in Daten zu bringen, die die Geschlechtergleichstellung in der Wirtschaft beschleunigen können. Systematische Offenlegung trägt dazu bei, die Messlatte quer durch alle Industrien und sämtliche geografischen Regionen Stück für Stück höherzulegen. Ähnlich wie in den vergangenen Jahrzehnten Daten zu Umwelt, Gesellschaft und Regierungsführung (ESG) offengelegt und durchgängig berücksichtigt wurden, muss in den kommenden Jahren der Stand der Gleichstellung der Geschlechter beschleunigt durchschaubar gemacht werden – mit Blick auf die Nachfrage von Anlegern und auf verschärfte Gesetzgebungen. Die Geschlechtergleichstellung avanciert zu einem unverzichtbaren Kriterium, um einzuschätzen, ob es ein Unternehmen verdient, dass in es investiert, mit ihm kooperiert oder für es gearbeitet wird. Die besten Praktiken herauszustellen, hilft, das Problembewusstsein zu schärfen. Ein hohes Maß an Transparenz in

Sachen Gleichstellungspolitik und -praxis wird schon bald zu einer neuen Norm werden. Bislang geben nur wenige Unternehmen ihre Daten zu Gehaltsunterschieden zwischen Männern und Frauen bekannt. Viele andere nehmen dagegen Fortschritte bei der Gleichstellung für sich in Anspruch, bleiben aber die Belege für sie häufig schuldig. Indizes wie der Bloomberg Gender Equality Index[68] und der Equileap Gender Equality Index weisen den Weg, indem sie die Gleichstellungspraxis börsennotierter Konzerne in ein Schlaglicht setzen. Unter den bewerteten Kriterien sind:

- Statistiken zur Beschäftigung von Frauen und zu weiblichen Führungskräften auf allen Ebenen.
- Interne Maßnahmen, um die Gleichstellung am Arbeitsplatz zu fördern (z. B. Schulungen, um unbewusste Vorurteile aufzudecken, Praktiken für eine paritätische Einstellungspraxis und Talentförderung, bezahlte Elternzeit, Wiedereinstiegsprogramme, geschlechtsspezifische Versicherungen, Zusatzleistungen für Kinder- und Altenbetreuung).
- Öffentliche Unterstützung für Frauen in der Gemeinschaft (z. B. finanzielle Förderung von externen Fortbildungsprogrammen, Förderung von Gesetzgebungen zur Gleichstellung).
- Produktangebote, die weibliche Kunden und Lieferanten unterstützen.

Wie der Bloomberg Index zeigt, sind in Unternehmen, die in Sachen Gleichstellung weltweit an der Spitze stehen, Frauen in den Vorständen und Führungsetagen stärker vertreten und werden auf allen Ebenen schneller befördert. Zwei Drittel dieser Unternehmen bewerten systematisch ihre Marketing- und Werbeinhalte mit Blick auf Geschlechterstereotype. Und ein ebenso hoher Anteil sind Unterzeichnende oder Mitglieder in Organisationen, die sich Gleichstellung auf die Fahnen geschrieben haben.[69]

Daten sind der Ausgangspunkt für ein stichhaltiges Plädoyer für mehr Vielfalt. Aber Untätigkeit zu überwinden, ist die nächste Herausforderung, der sich zahlreiche Unternehmen stellen müssen. Um die Geschlechterfrage zu einer Priorität auf der Unternehmensagenda zu erheben, ist noch viel zu tun, um auch die Wahrnehmungslücken zu schließen: Zweifel unter Männern am Wert von Programmen, um Vorurteile und Diskriminierungen abzubauen und Frauen stärker einzubeziehen, sind in der Unternehmenskultur mitunter das größte Hindernis, auf das weibliche Beschäftigte in der Wirtschaft stoßen.[70]

Allmählich tauchen in der Unternehmenslandschaft zahlreiche männliche und weibliche Rollenvorbilder auf. Die Vorteile für Unternehmen, die sich Gleichstellung und breitere Gleichstellungsziele zu eigen machen, erstrecken sich von einer größeren Anziehungskraft und mehr Bleibegründen für Talente über eine stärkere Einbeziehung, bessere Entscheidungen auf allen Ebenen, einen besseren Fokus auf die Kunden in der gesamten Wertschöpfungskette und besseres Produktdesign bis zu – am wichtigsten – einer besseren Ertragslage. Und dies geht Hand in Hand mit einem stärkeren Engagement von Aktionären.

Neben den internen Auswirkungen guter Geschäftspraktiken bei der Gleichstellung kann eine verstärkte Sogwirkung auf die Frauenförderung entlang der gesamten Zulieferketten erwartet werden. Unternehmen rund um den Globus haben gewaltige Möglichkeiten, durch ihre Beschaffungspraxis von Frauen gegründete und geführte Unternehmen im Sinne der Gleichstellung zu fördern. Nach UN Women haben »zum Stand 2013 über ein Drittel aller Unternehmen weltweit weibliche Inhaber, denen aber nur 1 Prozent der unternehmerischen Beschaffungskosten zufließen«.[71] Indem sie die Schere zwischen den Geschlechtern mit überlegten Maßnahmen und Praktiken beim Einkauf ein Stück weit schließen, können Unternehmen die wirtschaftliche Teilhabe über alle Kontinente hinweg aktiv unterstützen und Gemeinschaften anderswo fördern. Und wie schon jetzt erwiesen ist, schlägt sich dieses soziale Verantwortungsbewusstsein auch in den besseren Bilanzen von Unternehmen nieder, die ihren Worten Taten folgen lassen.

»Die wirtschaftliche Förderung von Frauen ist ohne das Engagement des Privatsektors schlicht nicht zu erreichen.«[72] Die sozialen Vorteile gleicher Bezahlung und stärkerer Teilhabe des weiblichen Geschlechts in der Wirtschaft wird sich in der Gesellschaft auf ganzer Breite bemerkbar machen: Verstärkte Maßnahmen zur Gleichstellung in den Unternehmen, Praktiken gleicher Bezahlung und vermehrtes weibliches Unternehmertum sind möglicherweise die wirksamste Art, um eine Krise weiblicher Altersarmut für die kommenden Jahrzehnte abzuwenden.

Fakten und Zahlen

Wie Untersuchungen von McKinsey zur »Diversity« zeigen, erkennen weniger Männer als Frauen die Herausforderungen, mit denen Mitarbeiterinnen am Arbeitsplatz konfrontiert sind: »In der Frage, ob ›Frauen sogar mit gleichen Fähigkeiten und Qualifikationen weitaus größere Schwierigkeiten haben, Positionen im Topmanagement zu erreichen‹, zeigte sich unter den über 1400 befragten Führungskräften weltweit eine auffällige Kluft zwischen den Geschlechtern: 93 Prozent der Frauen, aber nur 58 Prozent der Männer bejahten diese Frage. Und während nur 5 Prozent der Frauen sie verneinten, waren es bei den Männern rund 28 Prozent.«

Ähnlich zeigte eine Analyse von Credit Suisse zur Diversity-Frage in der Vorstandsetagen, dass sich der dortige Frauenanteil in der Schweiz zwischen 2008 und 2015 um bemerkenswerte 54 Prozent erhöht hatte.[72] Auch wenn dies auf den ersten Blick ermutigend erscheint, lag der absolute Anteil von Frauen in Schweizer Vorständen leider immer noch bei ganzen 13 Prozent gegenüber einem europäischen Durchschnitt von 24 Prozent und einem von 21 Prozent im benachbarten Deutschland. Hier kann und muss deutlich mehr geschehen. Und doch ist bei knapp 7 Prozent Frauen in Führungspositionen quer durch die Schweiz eine rasche Veränderung unwahrscheinlich, da keine mutigen Schritte auf breiterer Ebene und kein stärkeres Engagement von sämtlichen männlichen Führungskräften zu sehen ist.

Privatanleger

Anleger interessieren sich zunehmend für verantwortungsbewusste Investitionen, die in der Welt Positives bewegen: Sie leiten Kapital möglichst in die Unternehmen, die neben robusten finanziellen Erträgen auch positive gesellschaftliche Veränderungen herbeiführen. Dieser Trend gilt für Frauen noch stärker als für Männer. »Frauen gewinnen nicht nur an wirtschaftlicher Bedeutung und Kontrolle über einen größeren Anteil am weltweiten Wohlstand, sie sorgen sich zudem vermehrt um die Auswirkungen ihrer Geldanlagen auf Gesellschaft und Umwelt.«[73] Vier von fünf Anlegerinnen ist es wichtig, wo ihr Geld hinfließt, und fast zwei Drittel zeigen ein aktives oder gedankliches Interesse an verantwortungsbewussten Anlagen und erwarten, dass diese ihre Werte und Ideale widerspiegeln. Das wachsende finanzielle Selbstvertrauen von Frauen wirkt sich so in doppelter Hinsicht positiv aus. Frauen gewinnen nicht nur über ihre Finanzen und ihren langfristigen Lebensstandard größere Kontrolle, sondern beschleunigen zudem eine Entwicklung zu mehr nachhaltigen und wirkungsorientierten Anlagen (Impact Investing),[74] die sich vor allem auf Armutsbekämpfung und Einkommensgleichstellung, Zugang zu medizinischer Versorgung und Umweltbelange richten. Ermutigendeweise hat sich der Zielkonflikt zwischen gut investieren und Gutes tun inzwischen aufgelöst: Investoren müssen keine faulen Kompromisse mehr eingehen, wenn sie üppige Renditen erwarten. Die Anzeichen mehren sich, dass Portfolios mit nachhaltigen Geldanlagen bei den Erträgen ebenso gut, wenn nicht sogar besser abschneiden als herkömmliche.

Nicht nur Anlegerinnen, sondern alle Privatinvestoren können hier eine wichtige Rolle spielen. Das sogenannte Gender Lens Investing, das auf Frauen abzielt, hat verstärkten Zulauf. Diese Investitionspraxis zielt per Definition auf Gewinne ab, berücksichtigt aber ebenso die Förderung von Frauen, auch durch die Finanzierung von Unternehmen, deren Inhaber Frauen sind, die bei der Einstellungs- und Förderpraxis eine gute Bilanz vorweisen oder deren Produkte und Dienstleistungen das Leben von Frauen und Mädchen verbessern. Gender Lens Investing hat zwei entscheidende Vorteile: Es sorgt für größere Transparenz bei der Gleichstellung in denjenigen Unternehmen, die entsprechendes Investitionskapital gewinnen wollen, und ermöglicht so besser begründete Entscheidungen. Und es leitet beschleunigt denjenigen Unternehmen Kapital zu, die sich bewusst und mit messbaren Ergebnissen um mehr Gleichstellung bemühen. In weibliche Wirtschaftstätigkeit zu investieren, trägt zu sozialer und wirtschaftlicher Entwicklung und Stabilität bei: Frauen neigen eher als Männer dazu, bei den Haushaltsausgaben, beim Sparen und Geldanlegen Entscheidungen zu treffen, die dem Gemeinwesen nützen und Wirtschaftsentwicklung sowie insbesondere künftiges Humankapital fördern.[75] »Frauen sind in allen Ländern der Welt Wirtschaftsmotoren.«[76] Und das Hindernis Nummer eins für weibliche Wirtschaftstätigkeit sind immer noch die Lasten von Betreuungsarbeit rund um die Welt.[77] Während sich in der Bildung die Unterschiede zwischen den Geschlechtern ein wenig oder ganz geschlossen und sich in manchen Ländern sogar umgekehrt haben, herrscht beim Finanzwissen, bei unternehmerischen Fähigkeiten und beim beruflichen Fortkommen immer noch Ungleichheit.

Ähnlich wie Gender Lens Investing könnten Fördermittel für Nichtregierungsorganisationen (NGOs) die Gleichstellung schneller voranbringen, wenn diese generell in allen Feldern ihre Daten nach Geschlechtern gesplittet offenlegen müssten. Systematische Messungen der Fortschritte bei der Gleichstellung könnten helfen, genau die Bereiche auszumachen, in denen Frauen und Mädchen am stärksten profitieren, und mehr Geld in die NGOs zu leiten, die entsprechende Bemühungen unterstützen.

Finanzdienstleister

Die Finanzbranche kann als Katalysator dabei wirken, die Gleichstellung der Geschlechter schneller voranzutreiben, wenn sie bei der Ausgestaltung ihrer Dienstleistungen die Lebensumstände von Frauen berücksichtigt und sich verstärkt um einen Dialog bemüht, der von männlichen Botschaften über Geld abrückt und sich den Bedürfnissen von Frauen zuwendet. Wie Untersuchungen der Boston Consulting Group von 2009 zeigten, sind »Frauen auf der ganzen Welt mit der Branche der Finanzdienstleistung weniger zufrieden als mit jeder anderen, die ihr tägliches Leben betrifft«.[78] Tatsächlich übersehen »viele Vermögensverwalter Frauen entweder als eine eigene und wichtige Gruppe oder setzen oberflächliche Strategien ein, um sie zu erreichen. Manche der üblichsten Ansätze sind nicht nur ineffizient, sondern kontraproduktiv: Sie können ebenjene Kundschaft, die umworben werden soll, sogar abschrecken, insbesondere wenn sie sich um ›weiblich etikettierte‹ Produkte, Verkaufsgespräche oder Werbeaktionen drehen, die bevormundend oder gekünstelt wirken«.[79] Frauen wollen gleiche Bedingungen. Noch heute, ein Jahrzehnt nach dieser Untersuchung, finden die Besonderheiten der Lebenszyklen von Frauen immer noch kein ausreichendes Verständnis, sodass sie auf breiter Front in der Finanzlandschaft nicht angemessen berücksichtigt werden. Auch wenn Nischenplayer und -lösungen in Erscheinung getreten sind, braucht es einen breiten Wandel, um die Chancen zu erschließen, wenn Frauen schneller zu Wohlstand kommen und mehr Einfluss auf und Kontrolle über den weltweiten Wohlstand gewinnen.

Einerseits muss der Finanzsektor den Zusammenhang zwischen schlechterer Entlohnung, geringerem Wohlstand und niedrigeren Alterseinkünften von Frauen erkennen und bei Zukunftsplanungen Privat- wie institutionelle Anleger im Auge behalten. So rief in Großbritannien zum Beispiel das Chartered Insurence Institute Fachleute für Versicherung und Finanzplanung dazu auf, gemeinsam aktiv die Ansätze zu überdenken, mit denen sie speziell Frauen Lösungen anbieten.[80]

Andererseits setzt der vermehrte weibliche Wohlstand eine Dynamik in Gang, die den Wandel in Gesellschaft, Kultur, Wirtschaft und Umweltbewusstsein beschleunigen wird – mit gewaltigen langfristigen Vorteilen. Den Finanzinstituten kommt dabei eine entscheidende Rolle zu. Impact Investing beschränkt sich längst nicht mehr darauf, bestimmte Unternehmen (Waffen, Tabak, Glücksspiel) aus dem eigenen Portfolio auszuschließen und einen kleinen Teil des Anlagevermögens in die Rettung des Planeten zu investieren. Es setzt sich vielmehr insofern als genereller Trend durch, als ein ganzes Portfolio schon jetzt zu 100 Prozent nachhaltig angelegt werden kann. Diese Entwicklung gewinnt an Fahrt, wenn mehr Transparenz und Bewertungen anhand der Nachhaltigkeitskriterien (ESGs) bei den Anlegern quer durch die Altersgruppen, ob Männer oder Frauen, größeres Interesse an entsprechenden Investitionsinstrumenten wecken. In einem weiteren positiven Kreislauf sorgt zunehmende Transparenz für eine vermehrte Nachfrage nach nachhaltigen Anlageformen und fordert damit die Finanzindustrie heraus, diese sich verändernden Bedürfnisse flächendeckend zu befriedigen. Konkret sollte sich die Finanzindustrie auf folgende Maßnahmen konzentrieren, um Frauen stärker entgegenzukommen:[81]

- Eine klare Sprache: Den Finanzjargon weitgehend zu verbannen, ist für die Branche das Wichtigste, um den Dialog auf eine Ebene zu bringen, auf der sich Frauen entspannt und respektiert fühlen und die sie überzeugt.
- Das finanzielle Selbstvertrauen stärken: Zu den größten Hürden für Frauen zählen fehlende Zeit, mangelndes Vertrauen und die Selbsteinschätzung, dass sie von der Materie zu wenig verstehen. Da Anlegerinnen häufig ganz genau verstehen wollen, wie ihr Geld für sie arbeitet, hält sie Zeitmangel von endgültigen Entscheidungen ab. Vertrauenswürdige, verständliche, kurze und bündige Informationen sind deshalb grundlegend. Die Herausforderung für Banken besteht auf allen drei Ebenen: Wie Vertrauen aufbauen, Finanzgeschäfte verständlich erklären und die richtigen Qualitätsinformationen im angemessenen Stil

kommunizieren? Der dazu notwendige Kulturwandel ist keineswegs trivial. Wie erläutert, verlangt er eine geschlechtsspezifische Optik, um die gesamte Wertschöpfungskette der Branche daraufhin unter die Lupe zu nehmen, wo sich der Kundenkontakt verbessern lässt.

- Einen Draht herstellen: Anstatt in einem aggressiven Verkaufsgespräch auf Frauen »einzureden«, sollten sie vielmehr dazu eingeladen werden, gemeinsam ihre Zukunft aufzubauen. Die Wünsche der Frauen müssen ernst genommen, neue Regeln aufgestellt und Dynamiken angepasst werden.
- Impact Investing zur Regel machen: Es braucht eine gewisse Entzauberung von Mythen, damit Anleger verstehen, dass Nachhaltigkeit und Rendite nicht im Widerspruch zueinander stehen und welche breiten Möglichkeiten sich dem verantwortlichen Investieren bieten, welche Nachweise es für ihre Wirksamkeit gibt und auf welche messbaren Parameter es besonders ankommt. Wenn der Begriff »Impact Investing« dereinst überflüssig geworden ist, dann hat die Finanzbranche die Zukunft geschaffen, die Frauen anstreben. Aufs Wesentliche reduziert, erwarten Frauen von Finanzdienstleistungen Einfachheit, lautere Absichten und hohe ethische Maßstäbe.[82]
- Zu guter Letzt müssen Finanzdienstleister ihre Daten so aufschlüsseln, dass bei sämtlichen Indikatoren, die geschäftliche Entscheidungen beeinflussen, die geschlechtsspezifischen Unterschiede sichtbar werden. Nur wenn Frauen ins Licht kommen, gibt es echten Fortschritt.

Politische Entscheidungsträger und internationale Organisationen

Geschlechtergleichstellung in den verschiedenen Bereichen herzustellen, ist für alle Politiker eine zentrale Aufgabe. »Es braucht ein Ökosystem, um Frauen zu fördern.«[83] Politiker müssen Ökosysteme schaffen, die generell Gleichstellung unterstützen, und bei jeder bestehenden oder geplanten Strategie eingehend bewerten, wie sie sich auf die Lage von Männern und Frauen auswirken. Dieser Prozess wirkt iterativ, da sich die Lehren aus einem Bereich positiv auf andere auswirken. Dennoch setzt jeder einzelne Schritt, der die geschlechtsspezifische Linse in die Politik einbringt, etwas spürbar in Bewegung. Von Initiativen für integratives Wachstum[84] über internationale ESG-Akkreditierungsstandards und nach Geschlechtern aufgeschlüsselte Daten bis hin zur Aufsplittung von Genderfragen in detaillierten Unterclusteranalysen,[85] die gezielte Maßnahmen ermöglichen, gibt es gewaltige Möglichkeiten, wie politische Rahmenbedingungen etwas bewegen und Beiträge leisten können. Die stärkere aktive Rolle von Frauen in der Politik und deren Gestaltung ist ein entscheidender Faktor, um Praktiken, die das weibliche Geschlecht besser einbeziehen, national und international schneller umzusetzen.

In der Debatte um Quoten ist eine neue Sichtweise wichtig. Rainbow Murray entlarvt das Argument, wonach eine Einstellungspraxis nach Geschlechterquoten dem Leistungsprinzip widerspreche, als einen Mythos, um den auf Privilegien beruhenden Status quo zu rechtfertigen.[86] Das Leistungsprinzip gegen Quoten ins Feld zu führen, beruht aus zwei Gründen auf einem Trugschluss: Erstens setzt dies voraus, dass eine quotenfreie Einstellungspraxis tatsächlich rein nach Eignung stattfindet, während Murray gerade belegt, dass sie gegenwärtig durch männliche Privilegien und ungleiche Bedingungen geprägt ist. Zweitens kann die Anti-Quoten-Kampagne als eine der voreingenommensten in der Geschichte des Kampfs um Gleichstellung gelten: Frauen glauben zu machen, dass »keine Frau eine Quotenfrau sein wolle« und dass Frauen nur wegen ihres Geschlechts und nicht wegen der Eignung einen Platz am Tisch erhielten, zementiert Vorurteile in akutester Form. Es setzt voraus, dass keine oder nicht genug Frauen für die fragliche Stelle qualifiziert seien oder in sie hineinwachsen könnten, wenn sie dazu die Chance erhielten. Höchste Zeit, dass dieses Argument auf dem Müllhaufen der Geschichte landet.

Auch wenn Fortschritte sicher auch ohne harte Quoten erreichbar sind, lehrt die Erfahrung, dass paritätische Besetzungen ohne klaren Willen, Entschlossenheit, Rechenschaftspflicht und konsequente Umsetzung Wunschvorstellung bleiben. Fünf entscheidende Faktoren können dazu beitragen, dass Gleichstellungsgesetze, Quoten und Zielvorgaben zur Teilhabe erfolgreich eingeführt und umgesetzt werden:[87]

- Transparenz und Daten zur gegenwärtigen Einführung von Gleichstellungsgesetzen und Verbreitung entsprechender Normen und Praktiken. Leistungsvergleiche durch unabhängige Körperschaften und internationalen Organisationen haben sich als sehr hilfreich dabei erwiesen, die Messlatte höher zu legen, wenn sie reale

Fakten sichtbar und Fortschritte (oder deren Fehlen) greifbar machen.

- Aktive Beteiligung von Frauen in Schlüsselpositionen mit Verhandlungsmacht, um Gleichstellungsmaßnahmen zu fördern und fordern.
- Strenge politische Maßnahmen und Sanktionen durch unabhängig Gremien, wenn Vorgaben nicht erfüllt werden.
- Medienberichte und öffentliche Kampagnen müssen den Druck erhöhen, damit Maßnahmen eingeführt und umgesetzt werden. Auch wenn öffentliches Anprangern keine Lösung ist, stellt es zuweilen einen drastischen und notwendigen Schritt dar, um auf breiter Basis den Willen zum Wandel zu wecken.
- Unabhängige Gremien und abgesicherte Akteure können Schlupflöcher schließen und die Ausrichtung von Maßnahmen und Praktiken zur Gleichstellung verbessern helfen, damit sie richtig wirken.

Inzwischen ebenen die Anstrengungen zahlreicher Regierungen den Weg, um neue Standards zu setzen und anderen Ländern als Vergleichsgröße zu dienen. Großbritannien verlangt von sämtlichen Organisationen mit über 250 Beschäftigten, geschlechtsspezifische Lohngefälle jährlich offenzulegen, wenn auch ohne Verpflichtung, die Ergebnisse extern überprüfen zu lassen. Deutschland geht das Problem von unten nach oben an: Durch das Entgelttransparenzgesetz erhalten Beschäftigte in Unternehmen mit mehr als 200 Mitarbeitern einen Anspruch auf Auskunft, was Kollegen mit vergleichbaren Jobs verdienen. Wie riskant es im Betrieb ist, dieses

Recht in Anspruch zu nehmen, ist bislang unklar: Werden Beschäftigte tatsächlich Transparenz verlangen, wenn sie in Kauf nehmen, ausgegrenzt oder bei Beförderungen übergangen zu werden? Erst der Praxistest wird es zeigen. Island erhöht den Anspruch ständig und hat die höchsten Standards mit einem Gesetz eingeführt, das Ungleichbehandlung bei der Vergütung mit einer Geldstrafe ahndet. Sämtliche Unternehmen mit über 25 Mitarbeitern müssen alle drei Jahre ein Zertifikat für Lohngleichheit beantragen.[88]

Quer durch die Europäische Union (EU) bemühen sich die Länder, Prinzipien der Lohngleichheit umzusetzen, Partnerschaften zu stärken, um geschlechtsspezifische Lohnlücken zu schließen, die Geschlechtertrennung horizontal (in den einzelnen Tätigkeitsbereichen und Sektoren) und vertikal (die gläserne Decke durchstoßen) zu bekämpfen, gegen die Benachteiligung von Frauen bei unbezahlten Arbeiten in Haushalt und Betreuung anzugehen und um weibliche Fähigkeiten, Anstrengungen und Verantwortlichkeiten besser zur Geltung zu bringen.[89]

Wie Forschungen belegten, zeigte eine »gezielte Gleichstellungsförderung, verglichen mit allgemeinen öffentlichen Investitionen in Arbeitsmarkt- und Bildungsprogramme, besonders starke Auswirkungen auf das BIP«:[90] Von derlei Anstrengungen profitieren Frauen und Männer gleichermaßen.

Selbstvertrauen wird ab dem frühesten Alter aufgebaut. Wie kommt es, dass selbst Mädchen mit Spitzenleistungen in der Schule sich selbst so wenig zutrauen?[91] Warum richten Eltern eher an Jungen als an Mädchen die Erwartung, dass sie in den Bereichen Mathematik, Informatik, Naturwissenschaft und Technik (MINT) tätig werden?[92] Ähnlich wie bei den Botschaften über Geld brauchen die Elternhäuser und Schulen ein neues Narrativ, das die Kinder auf jeder Entwicklungsstufe erreicht. Eltern und Lehrer müssen Wege finden, um das – auch finanzielle – Selbstvertrauen von Mädchen zu stärken, und dies so früh wie möglich und in jeder Phase der kindlichen Entwicklung. Forschungen in Deutschland[93] und England[94] belegten, dass junge Mädchen weniger Taschengeld als Jungen erhalten – mit einer Lücke zwischen 12 und 15 Prozent im Vorschulalter und rund 10 Prozent bei Grundschülern. Als traurige Wahrheit setzt die Benachteiligung bei den Einkommen also schon in der frühesten Lebensphase ein. Jungen treten fordernder als Mädchen auf und bekommen auch mehr. Mädchen müssen dazu ermutigt werden, aufzubegehren und mehr herauszuhandeln. Die Botschaften über Geld, mit denen Kinder aufwachsen, beeinflussen sie ihr ganzes Leben. Und auch wenn den Eltern hier wesentliche Bedeutung zukommt, ist die Schule ebenfalls in der Pflicht. Über Geld reden, ist wichtig; mit Geld umgehen lernen, entscheidend. Ein Budget zu bewirtschaften, Überschuldung zu vermeiden und zu wissen, wie man ein Formular für die Steuererklärung ausfüllt oder sich Kapital für eine Unternehmensgründung beschafft – all dies sind grundlegende Fähigkeiten, die junge Menschen brauchen, aber kaum besitzen, wenn sie von der Schule abgehen. Diese Fähigkeiten müssen (wieder) in jedes Schulprogramm einbezogen werden. Lebensplanung und finanzielle Bildung müssen in den üblichen Lehrplänen an Schulen und in sämtlichen weiteren Ausbildungs- und unternehmerischen Schulungsprogrammen lebenslang stärker berücksichtigt werden.

Die Zukunft braucht ein neues Verständnis von Risiko und integrativem Wachstum

In der Vergangenheit wurde Risiko stets stark mit Männlichkeit assoziiert, was dann auch seine Definition und die Art, wie es gemessen wird, beeinflusst hat. Dabei waren traditionelle Messmethoden für Risikobereitschaft blind für die zahlreichen Risiken, denen Frauen ständig ausgesetzt sind. Wenn verstärkt weibliche Arten der Risikobereitschaft in Betracht gezogen werden, geht daraus ein neues Verständnis von Risiko und Risikobereitschaft hervor.[95] Ein erneuerter und ausgewogener Risikobegriff muss Hand in Hand mit einer ganzheitlichen Neubewertung der Wertschöpfung in den Volkswirtschaften der Zukunft gehen. »Wir leben in einer Zeit nie da gewesener Umwälzungen – mit einem Tempo und einer Größenordnung des Wandels, wie wir sie noch nie erlebten. Unternehmen, Regierungen und ganze

Volkswirtschaften durchlaufen massive Veränderungen in ihrer Art, Wert zu organisieren und zu schaffen.«[96]

Tatsache ist, dass das gegenwärtige Wachstumsmodell, das sich auf das Bruttoinlandsprodukt (BIP) und die Kapitalrendite (RoI) als Messgrößen konzentriert, denen jahrelang nachgejagt wurde, zunehmend Mängel offenbart. Im Kampf gegen Krankheiten, bei der Erhöhung der Bildungsstände und der Befreiung ganzer Bevölkerungen aus der Armut wurden gewaltige Fortschritte erzielt. Aber immer noch werden die begrenzten Ressourcen unseres Planeten in atemberaubendem Tempo geplündert – mit Umweltbelastungen, die jedes erträgliche Maß überschreiten. Ein eindimensionaler Wachstumsansatz, der Fortschritt allein anhand von Geld bemisst und die Kosten für die Gesellschaft und Umwelt ausblendet, ist deswegen schlicht unhaltbar geworden – wie auch ein Wirtschaftswachstum, das die Schere der Ungleichheiten quer durch die Gesellschaften immer weiter aufreißt und verletzliche Gruppen an den Rand drängt.

Die OECD und die Vereinten Nationen äußerten die Überzeugung, dass keines der Ziele für nachhaltige Entwicklung (SDGs) erreichbar ist, ohne dass zwischen Frauen und Männern mehr Gleichheit hergestellt und die Stellung von Frauen und Mädchen gestärkt wird.[97] Letzteres gilt als entscheidend, um sämtliche übrigen SDGs schneller zu erreichen. Und um die Fortschritte zu messen, braucht es neue Ansätze. Öffentlich-private Initiativen wie »Making Every Woman and Girl Count« (Jede Frau und jedes Mädchen zählt)[98] unter Führung von UN Women bemühen sich auf breiter Basis, einen radikalen Wandel in der Art herbeizuführen, wie Geschlechterstatistiken auf globaler, regionaler und nationaler Ebene erstellt, genutzt und verbreitet werden. Erst mit veränderten Messmethoden zeigen sich die wahren Fortschritte für Mensch und Umwelt auf dem Weg zu den angestrebten Zielen. Genaue Informationen zu Gleichstellung und Frauenrechten besser verfügbar zu machen, um eine solide Grundlage für sachkundige Politik und Entscheidungen zu schaffen, ist wirklich dringend notwendig. Ein Budget für Gender-Statistiken stellen derzeit nur 13 Prozent der Staaten bereit.[99] Was nicht gemessen wird, bleibt unsichtbar. Wenn Frauen den Schlüssel dazu in der Hand halten, nachhaltiges Wachstum zu beschleunigen, dann sind Gender-Daten der Weg, um diese Zukunft auch zu erschließen.

Dass Frauen in zahlreichen Bereichen der Wirtschaft und insbesondere in Finanzen und Technologie noch immer unterrepräsentiert sind, bereitet vor diesem Hintergrund wachsende Sorge. Warum ist dies alles von Belang? Weil Frauen in der Wertschöpfung gerade in den sich am schnellsten entwickelnden Branchen zurückstehen. Und nicht nur das: Wichtiger noch, weil die neuen Technologien wie Künstliche Intelligenz (KI), einschließlich der Robotik, schon jetzt eine Vielzahl unserer Tätigkeiten mitbestimmen und einige der gesellschaftlichen Vorurteile verstetigen, von denen Frauen betroffen sind. KI-Technik dient nicht nur der Konstruktion selbstfahrender Kraftfahrzeuge, sondern ist auch Grundlage der Predictive Analytics, die für vielfältige Geschäftsabläufe Zukunftsprognosen erstellen, zum Beispiel die Kreditwürdigkeit von Kunden bestimmen. Wenn in solche Programme Vorurteile einfließen, weil sie von einer Gruppe mit einer bestimmten Sichtweise entwickelt werden, besteht ein hohes Risiko, dass ihre Ergebnisse bestehende Voreingenommenheiten verstärken und wirtschaftliche Ungleichheiten beschleunigt vergrößern. Und selbst wenn sie nur heutige Vorurteile widerspiegeln, verfestigen sie sie und tragen so mit der Automation die Vergangenheit in die Zukunft, anstatt notwendige Korrekturen anzustoßen. Die Entwicklung dieser Vorhersagetechniken wird in nie da gewesener Geschwindigkeit und Größenordnung vorangetrieben. Auch wenn das einhergehende Problem heute weitgehend erkannt wird, ist eine Lösung keineswegs einfach: »Gezielte Bemühungen, gegen diese Ungleichheiten anzugehen, zeigen, dass positive Veränderungen für Frauen in der Wirtschaft erreichbar sind, auch wenn sie Zeit brauchen, um überall zu wirken. Wir werden mit dem Problem konfrontiert sein, dass heute programmierte KI besagte unbewusste Vorurteile weiterträgt, sodass sie hinter den positiven Veränderungen zurücksteht, die wir allmählich erleben«, sagt Chris Baker von SAP.[100]

Folglich wird in den »Maschinenräumen« der Finanzindustrie und im Technologiesektor dringend mehr weibliches Personal benötigt, um diese Risiken zu mildern, deren Opfer hauptsächlich Frauen sind. Kann die Überlappung des Finanz- und des Technologiesektors, die sich immer schneller miteinander verzahnen, um die Digitalisierung des Geldes weiter voranzutreiben, die Kluft zwischen den Geschlechtern weiter aufreißen? Das Risiko, dass mit dem Siegeszug von FinTech und TechFin[101] geschlechtsspezifische Vorurteile in beiden Industrien noch mehr Raum gewinnen, kann sich die Gesellschaft nicht leisten. Wir brauchen mehr Programmiererinnen, Designerinnen, Gründerinnen, Leiterinnen, Produktentwicklerinnen, Prozessmanagerinnen, Investorinnen und Risikokapitalgeberinnen. In Naturwissenschaft, Informatik, Technik, Mathematik und Finanzen sind scharfsinnige weibliche Köpfe gefragt, die am Aufbau einer Zukunft mitwirken, in der in allen Produktionsschritten und in jedem Glied der Wertschöpfungsketten die weibliche Seite vertreten ist. Dies ist entscheidend, um eine vorurteilsfreie Zukunft zu schaffen, in der sich Frauen künftig gleichrangig daran beteiligen können, die Werte und den Wohlstand zu schaffen, die von diesen Sektoren erwartet werden. Und damit sie von unvoreingenommenen Dienstleistungen und geschlechtsneutralen Botschaften profitieren, wenn es darum geht, Geld zu verdienen und zu verwalten.

Ohne Risiko sind die Aussichten auf Wachstum gering. Aber ähnlich wie die Definition für Wachstum künftig gewinnen könnte, wenn die wahren Kosten unserer Konsumprodukte für die Umwelt eingepreist werden, muss ein erweitertes Verständnis von Risiko auch all jene Wagnisse einschließen, die von bestehenden geschlechtsspezifische Unterschiede herrühren. Und Risiken müssen in einem Zusammenhang mit allgemeineren Werten wie Teilhabe, Mitgefühl und Fürsorge gesehen werden. Werte, die Frauen zutiefst am Herzen liegen. Erst dann können die Chancen für eine nachhaltige Zukunft wirklich genutzt werden.

Schluss-bemerkungen

Eine Frau zu sein, ist ein riskantes Geschäft. Frauen erfahren, sehen und bewältigen Risiken mitunter auf ganz andere Art als Männer. Und doch sind diese Unterschiede nicht in Besonderheiten des Geschlechts, sondern vielmehr in einem sozioökonomischen Kontext verankert, der Frauen bei der wirtschaftlichen und politischen Teilhabe immer noch benachteiligt.[102] Es braucht einen neuen Dialog, der eine weibliche Perspektive ins Herz der Wirtschaftspolitik einbringt und in Geschäftsstrategien die besonderen Bedürfnisse von Frauen berücksichtigt. In der künftigen Wirtschaft müssen die Unternehmen so aufgebaut sein, dass sie Gleichstellung an zentraler Stelle einbeziehen. Der Fokus auf Frauen kann kein segmentorientierter Ansatz sein, als kämen Frauen erst an zweiter Stelle. Unternehmen müssen unter dem Aspekt der Geschlechter konzipieren, wie sie ihre Kundenerfahrungen, Wertschöpfungs- und Zulieferketten gestalten und ihre internen Strategien und Praktiken umsetzen, um diese neue Balance herbeizuführen.

In der Finanzwelt braucht es einen neuen Dialog, der den Zweck von Wohlstand und die Herausforderungen der Langlebigkeit ins Zentrum rückt. Notwendig ist auch eine neue Sprache über Geld, die eine integrative Atmosphäre schafft, in der Frauen aller Altersstufen motiviert sind, sich eingehender mit Finanzfragen zu befassen. Mädchen müssen mit neuen Botschaften über Geld aufwachsen. Ihre Finanzkompetenz muss vom frühesten Alter an und das ganze Leben hindurch gefördert und ihr finanzielles Selbstvertrauen gestärkt werden. Finanzielle Ratschläge für Frauen, die der längeren Lebenserwartung standhalten, müssen zur neuen Regel werden. Der aussichtsreichste Ansatz für eine Frau, die über ihre finanzielle Zukunft die Kontrolle gewinnen will, lautet: Spare nicht für morgen, sondern investiere in die Zukunft.

Es braucht einen neuen Entwurf, der den Menschen in den Mittelpunkt stellt: einer, der wirklich die Lebensumstände und die »wichtigen Momente« von Frauen berücksichtigt und ein Kundenerlebnis schafft, das auf die speziellen Bedürfnisse von Frauen abgestimmt ist. Bei der Entwicklung und Ausgestaltung der Technologie, die unsere Zukunft prägt, müssen Frauen beteiligt sein. Die Künstliche Intelligenz, die Problemlösungen auf neue Stufen hebt, muss Menschen darin unterstützen, Vorurteile zu beseitigen, anstatt sie fortzuschreiben oder zu verstärken. Die Möglichkeiten für Innovation und Integration sind gewaltig.

Auch muss zweimal erwogen werden, was Risiko in Wahrheit bedeutet: Geht es um eine Reihe kurzfristiger Ergebnisse oder auch um die Langzeitfolgen unserer Handlungen oder Untätigkeit? Werden nur die leicht zu quantifizierenden Risiken oder auch die zwischenmenschlichen und sozialen mit einkalkuliert? Frauen können es sich in Geldfragen schlicht nicht leisten, Risiken komplett zu vermeiden. Es ist ermutigend, dass eine Generation an Unternehmerinnen auftaucht, die ihr Schicksal in die eigenen Hände nimmt, ihre Zukunft gestaltet und nachfolgenden Mädchen als Vorbild dient. Die Zeit ist reif: Nichts steht mehr dieser spannenden Entwicklung im Wege.

Um diese Zukunft für Frauen zu schaffen und ihre Entwicklung zu kontrollieren, braucht es neue Messmethoden. Daten müssen nach Geschlechtern aufgeschlüsselt werden, auf allen Ebenen, in jeder öffentlichen oder privaten Organisation, in jeder Statistik und jedem Land. Denn: Was wir nicht messen, beherrschen wir nicht. Und Wandel braucht Willen. Nur die Verpflichtung auf ein Ziel und ständiges Messen, inwieweit gewünschte Veränderungen vorangekommen sind, werden den Wandel schließlich herbeiführen. Es ist jetzt an der Zeit, anhand verfügbarer Informationen wichtige Entscheidungen zu treffen. Das notwendige Wissen steht bereit, auch die nötige Technologie und die finanziellen Ressourcen, um rund um die Welt Gleichstellung zwischen den Geschlechtern zu erreichen und den Einfluss von Frauen zu stärken. Alles, was jetzt benötigt wird, sind granulare Gender-Daten, die leiten, ermutigen und anspornen können, der Verantwortung gerecht zu werden.

Wie es die Zukunftsforscherin Aubrey Yee treffend ausdrückte: »Wir können es nicht einfach der Technologie überlassen, dass sie uns einen neuen Weg in eine bessere Zukunft ebnet.«[103]

Wir brauchen auch alle Frauen.

1 Doug Sundheim, »Do Women Take as Many Risks as Men«, in: *Harvard Business Review,* 27. Februar 2013.

2 Ted Devine, »How Men and Women Take Risks Differently in Business«, in: *Entrepreneur Europe,* 16. Februar 2017.

3 Siehe United Nations and United Nations Women: UN Women, »Spotlight on Sustainable Development Goal 5: Achieve Gender Equality and Empower all Women and Girls«, 5. Juli 2017; World Economic Forum, »The Global Gender Gap Report 2017«, 2. November 2017.

4 Martin Armstrong, »Women Work More Than Men«, *The Statistics Portal,* 23. Mai 2018.

5 World Economic Forum, »The Global Gender Gap Report 2017«.

6 Ebenda, S. 30.

7 Ebenda.

8 World Economic Forum, »Global Gender Gap Report 2017«, S. 31ff.

9 G7 Germany (2015); Presseerklärung.

10 Klaus Schwab, »Preface«, in: World Economic Forum, »The Global Gender Gap Report 2017«, S. V.

11 McKinsey, »Women Matter: Gender Diversity, a Corporate Performance Driver«, McKinsey&Company, 2007.

12 McKinsey, »Women Matter 2: Female Leadership, A Competitive Edge for the Future«, McKinsey&Company, 2007.

13 Wendy DuBow, Allison-Scott Pruitt, »The Comprehensive Case for Investing More VC Money in Women-Led Start-ups«, in: *Harvard Business Review,* 18. September 2017.

14 Barclays Wealth and Ledbury Research, »Understanding the Female Economy: The Path to Entrepreneurial Success«, 2013.

15 Siehe hierzu Valentina Zarya, »Venture Capital's Funding Gender Gap Is Actually Getting Worse«, 13. März 2017.

16 Dana Kanze, Laura Huang, Mark A. Conley, E. Tory Higgins, »Male And Female Entrepreneurs Get Asked Different Questions by VCs – and it Affects How Much Funding They Get«, in: *Harvard Business Review,* 27. Juni 2017.

17 Ebenda.

18 Ebenda.

19 Malin Malmstrom, Jeaneth Johansson, Joakim Wincent, »We Recorded VCs' Conversations and Analysed How Differently they Talk About Female Entrepreneurs«, in: *Harvard Business Review,* 17. Mai 2017.

20 Anne Boden, »Why We Need to Make Money Equal«, *Starling Bank,* 13. Mai 2018.

21 Brad M. Barber, Terrance Odean, »Boys Will Be Boys: Gender, Overconfidence and Common Stock Investment«, in: *The Quarterly Journal of Economics,* Februar 2001.

22 Mary Pilon, »6 Facts About Lizzie Magie: Monopoly's Lost Female Inventor«, 18. Februar 2015.

23 Natürlich hinterfragen Menschen, ob ein Zinseszins von 3 Prozent über Jahrzehnte realistisch ist. Die Antwort ist ein klares Ja – sogar in der gegenwärtigen Niedrigzinsphase. Aber dazu braucht es auch Risikobereitschaft und eine Verteilung auf vielfältige Anlagenklassen. Und natürlich lautet die Kernfrage, wie sich der Realwert der Ersparnisse angesichts der Inflation mit der Zeit entwickelt. Da eine Antwort in diesem Artikel zu weit führen würde, sei der Einfachheit halber angenommen, dass 3 Prozent eine realistische Nettoverzinsung abzüglich Inflation seien.

24 OECD, »Health at a Glance 2017. OECD Indicators«.

25 Lindsay Cook, »Can You Afford to Live to 100?«, in: *The Financial Times*, 28. Juli 2017.

26 OECD, »Health at a Glance 2017, OECD Indicators«. Die durchschnittliche verbleibende Lebenserwartung in den OECD-Ländern mit 65 Jahren beträgt 19 Jahre.

27 UBS Chief Investment Office, »UBS International Pension Gap Index«, White Paper, 17. Oktober 2017; UBS Investor Watch, »The Century Club. The Rising Prospect of Living Ten Decades«, 19. April 2018.

28 Robert Faff, Terrence Hallahan, Michael McKenzie, »Women and Risk Tolerance in an Ageing World«, in: *International Journal of Accounting and Information Management* 19 (2), (2011), S. 100–117.

29 Unified Lawyers, »Infographic: global divorce rates«, 2017.

30 Mit »Lohnlücke« werden allgemein geschlechtsspezifische Unterschiede bei der Bezahlung bezeichnet, die sich aus zwei Komponenten ergeben können: ein sich aus unbewussten Vorurteilen ergebendes Lohngefälle, weil Frauen schlechter bezahlte Tätigkeiten ausüben und/oder ungleiche Bezahlung für gleiche Arbeit erhalten. Genaue Definitionen siehe Sally Keogh, Paola Marko, Elli Siapkidou, »Bridging the Gap: How Governments, Companies and Investors Can Tackle Gender Pay Inequality«, Equileap Research Paper, Mai 2018.

31 UBS, Taking Action, »How Women Can Best Protect and Grow Their Wealth«, Oktober 2017.

32 Jill Petzinger, »By Law, Women in Germany Can Now Find Out What their Male Peers Are Earning«, 5. Januar 2018.

33 Robert Faff u. a., S. 111.

34 Rui Yao, Sherman D. Hanna, »The Effect of Gender and Marital Status on Financial Risk Tolerance«, in: *Journal of personal finance* 4 (1), (2005), S. 75.

35 Jing Chen, »Gender Differences in Risk Taking: Are Women More Risk Averse?«, Universities van Tilburg.

36 Julie A. Nelson, »Are Women Really More Risk Averse than

Men?«, Institute for New Economic Thinking, 21. September 2012.

37 Robert Faff u. a., S. 100–117.

38 Diese unterschiedliche Risikotoleranz wurde in den letzten 30 Jahren ausgiebig erforscht und ist eine der Hauptursachen dafür, dass die Ungleichheit in der Gesellschaft immer weiter wächst: Die Wohlhabenden können bei Geldanlagen höhere Risiken eingehen und häufen so langfristig schneller größere Vermögen an als weniger Begüterte.

39 Rui Yao, Sherman D. Hanna, »The Effect of Gender and Marital Status«.

40 Mara Mather, Nichole R. Lighthall, »Risk and Reward Are Processed Differently in Decisions Made Under Stress«, in: *Current Directions in Psychological Science* 21 (1), (2012), S. 36–41.

41 Doug Sundheim, »Do Women Take as Many Risks as Men?«.

42 Barbara Stewart, »Smart Women and Risk-taking«, White Paper, Rich Thinking Series, März 2018, S. III.

43 Ebenda, S. II.

44 Liz Koh, »The Financial Risk of Being a Woman«, 2. Februar 2018.

45 Ebenda.

46 Siehe Marie Wilson von der gemeinnützigen Organisation The White House Project zur Förderung von Frauen.

47 Liz Koh, »The Financial Risk of Being a Woman«.

48 Sheena Rice, »Life Differences Make Women Less Risk Tolerant When Investing«, University of Missouri News Bureau, 20. September 2017; P. J. Fisher, R. Yao, »Gender Differences in Financial Risk Tolerance«, in: *Journal of Economic Pychology* (2017).

49 Ebenda.

50 UBS, »The Century Club: The Rising Prospect of Living Ten Decades«, April 2018, S. 5.

51 Fidelity, »Who's the Better Investor: Men or Women?«, 18. Mai 2017. Fidelity befragte 2995 erwachsene Anleger, davon 1496 Männer und 1499 Frauen.

52 Ebenda.

53 Michael Liersch, »Women and Investing: A Behavioural Finance Perspective«, Merrill Lynch Bank of America Corporation, Herbst 2015, S. 2. Es sei darauf hingewiesen, dass diese Studie auf einer Befragung von Männern und Frauen beruht, die sich einer Einschätzung ihrer Anlegerpersönlichkeit unterzogen hatten. Bei diesem Kreis handelt es sich naturgemäß um Personen, die sich aktiv mit Anlagemöglichkeiten befassen wollen.

54 Prudential, »Financial Experience & Behaviour Among Women, 2014–2015«, Prudential Research Study 2014, S. 5.

55 Sylvia Ann Hewlett, Andrea Turner Moffatt, Melinda Marshall, »Harnessing the Power of the Purse: Female Investors and Global Opportunities for Growth«, New York 2014.

56 Prudential, »Financial Experience & Behaviours Among Women, 2014–2015«.
57 Ebenda.
58 Brian Bloch, »The Unique Ways Women Approach Finance«, in: *Forbes*, 18. Oktober 2018.
59 Wendy Wang, Kim Parker, Paul Taylor, »Breadwinner Moms«, Pew Research Center, 29. Mai 2013.
60 Fidelity, »Who's the Better Investor: Men or Women? «, 18. Mai 2017.
61 UBS, »Own Your Worth«, 2018.
62 Dan Kadlec, »Why Millennials Would Choose a Root Canal Over Listening to a Banker«, in: *Time*, 28. März 2014.
63 UBS, »Own Your Worth«.
64 Sylvia Ann Hewlett u. a., »Harnessing the Power of the Purse«.
65 Oliver Wyman, »Women in Financial Services 2016«, 2016, S. 47.
66 In den USA stellte Prudential fest, dass ein Viertel der befragten alleinstehenden, geschiedenen oder verwitweten Frauen Dienstleitungen von Banken nicht angemessen nutzt. Siehe Prudential, »Financial Experience & Behaviour Among Women, 2014–2015«, S. 3.
67 Jonathan Woetzel, Anu Madgavkar, Kweilin Ellingrud u. a., »How Advancing Women's Equality Can Add $12 Trillion to Global Growth«, McKinsey Global Institute, September 2015; Quentin Wodon, Benedicte de la Briere, »Unrealised Potential: The High Cost of Gender Inequality in Earnings«, Weltbank, 30. Mai 2018; Brent Beardsley, Bruce Holley, Mariam Jaafar u. a., »Global Wealth 2017: Transforming the Client Experience«, The Boston Consulting Group Inc., Juni 2017.
68 Bloomberg, »Gender Equality Index, 2018«.
69 Ebenda, S. 10.
70 Sandrine Devillard, Sandra Sancier-Sultan, Charlotte Werner, »Why Gender Diversity at the Top Remains a Challenge«, in: *McKinsey Quarterly*, April 2014.
71 Keric Chin, »The Power of Procurement: How to Source from Women-owned Businesses«, UN Women Economic Empowerment Section, 2017.
72 Linda Scott, »Private Sector Engagement with Women's Economic Empowerment. Lessons Learned from Years of Practice«, 2017, Said Business School, University of Oxford, S. 4.
73 Moxie Future, »Understanding Female Investors: Women Using Capital to Change the World«, 2018, moxiefuture.com.
74 Investopedia definiert »Impact Investing« folgendermaßen: »Eine Investitionstätigkeit, die darauf zu abzielt, neben finanziellem Gewinn auch bestimmte positive Wirkungen auf die Gesellschaft oder Umwelt zu erreichen. Impact Investing ist Teil des Socially Responsible Investing (gesellschaftlich verantwortliche Kapitalanlagen SRI). Aber während Letzteres so definiert ist, dass es negative Auswirkungen

vermeidet, wirkt Ersteres aktiv auf positive Veränderungen hin«, https://www.investopedia.com/terms/i/impact-investing.asp
75 OECD, »Investing in Women and Girls«.
76 Bethan Grillo, »PricewaterhouseCoopers LLP«, zitiert in Linda Scott, »Private Sector Engagement«, S. 11.
77 Ebenda.
78 Michael J. Silverstein, Kosuke Kato, Pia Tischhauser, »Women Want More (in Financial Services)«, The Boston Consulting Group Inc., Oktober 2009.
79 Peter Damisch, Monish Kumar, Anna Zakrzewski, Natalia Zhiglinskaya, »Leveling the Playing Field«, The Boston Consulting Group Inc., Juli 2010.
80 Liz Koh, »The Financial Risk of Being a Woman«.
81 Siehe Moxie Future, »Understanding Female Investors«, S. 13–16.
82 Prudential, »Financial Experience & Behaviour Among Women, 2014–2015«, S. 1.
83 Linda Scott, »Private Sector Engagement With Women's Economic Empowerment. Lessons Learned from Years of Practice«, S. 19.
84 OECD, »Time to Act: Making Inclusive Growth Happen«, 2017.
85 Zum Beispiel die eingehende Betrachtung von Lohnlücken in bestimmten Gemeinschaften und Branchen.
86 Rainbow Murray, »Merit vs Equality? The Argument that Gender Quotas Violate Meritocracy Is Based on Fallacies«, 2017.
87 Beitrag von Malu Gatto, Oberassistentin (Postdoc) am Institut für Politikwissenschaft an der Universität Zürich, www.malugatto.com.
88 Sally Keogh, Paola Marko, Elli Siapkidou, »Bridging the Gap: How Governments, Companies and Investors Can Tackle Gender Pay Inequality«, Equileap Research Paper, Mai 2018.
89 Ebenda, S. 11.
90 World Economic Forum, »The Global Gender Gap Report 2017«, S. 27.
91 OECD, »The ABC of Gender Equality in Education«, 2017.
92 Ebenda.
93 »Jungen bekommen mehr Taschengeld als Mädchen«, in: *Spiegel Online,* 8. August 2017.
94 Hilary Osborne, »Boys Get More Pocket Money Than Girls, Halifax Survey Finds«, in: *The Guardian,* 3. Juni 2016.
95 »Women Can Be Just As Daring and Risk-taking as Men«, in: *ScienceDaily,* 5. Oktober 2017.
96 Martin R. Stuchtey, Per-Anders Enkvist, Klaus Zumwinkel, *A Good Disruption: Redefining Growth in the Twenty-First Century*, London 2016.
97 OECD, »Investing in Women and Girls«.

98 UN Women, »Flagship Programme: Making Every Woman and Girl Count«.
99 Ebenda.
100 Chris Baker, »Programming Today's AI for Tomorrow's Gender Equality«, in: *CBR*, 18. Mai 2018.
101 FinTech (Finanztechnologie) bezieht sich auf die »disruptiven« Technologien, die von den bestehenden Akteuren in der Finanzbranche übernommen werden, TechFin dagegen auf den Wandel hin zur Bereitstellung von Finanzdienstleistungen durch die bestehenden Akteure im Technikbereich.
102 Neben den wirtschaftlichen und politischen Dimensionen erfordert die Förderung von Frauen Rechtssysteme, die die Menschenrechte von Frauen uneingeschränkt auf allen Ebenen der Gesellschaft unterstützen. Einige bemerkenswerte Beispiele zu den erreichten Fortschritten in den letzten 25 Jahre und den noch benötigten siehe www.equalitynow.org.
103 Mira Blumenthal, Emily Empel, Ashley Perez Karp, Esther Rogers, »The Future According to Women«, in: *idea couture*, 2017, S. 45.
104 Valentina Zarya, »Female Founders Got 2% of Venture Capital Dollars in 2017«, 31. Januar 2018, Daten nach M&A, Private Equity und der VC-Datenbank PitchBook Data; Entrepreneur Europa, »The Top Challenges Faced by Women in Business in 2018 (Infographic)«; TechCrunch, »In 2017 only 17% of Start-ups have a female Founder«.
105 Julia Dawson, Richard Kersley, Stefano Natella, »Gender Diversity in Switzerland: A Deep Dive«, Credit Suisse Research Institute, Oktober 2016.

Letztes Abrufdatum sämtlicher Internetquellen: 15. Juli 2018.

Ökonomien der Zukunft

Dieses Buch ist Teil eines multidisziplinären Diskurses zu den zentralen Fragen unserer Zeit.

Dabei konzentrieren sich unsere Publikationen auf jeweils ein Thema, das aus einer Box mit sieben Büchern besteht.

In sechs zugänglichen Essays geben unsere Autorinnen und Autoren Einblicke in ihre unterschiedlichen Perspektiven. In einem exklusiv der Themenbox hinzugefügten siebten Buch werden Kontroversen und Schnittstellen weitergedacht.

Stefan Klein	Die Ökonomie des Glücks
Mara Catherine Harvey	Women and Risk
Milosz Matuschek **Philipp Mattheis**	Kryptopia
Tobias Werron	Der globale Nationalismus
Winston Ma	Die digitale Seidenstraße: Chinas neue Wachstumsstory
Justus Haucap	Macht, Markt und Wettbewerb: Was steuert die Datenökonomie?
+ Perspektivwechsel	Die Essays zusammen betrachtet

Lektorat: Sebastian Guggolz
Gestaltung und Satz: Huelsenberg Studio, Berlin
Gesetzt aus der Suisse Works und Suisse Int'l
Druck und Bindung: GGP Media GmbH, Pößneck

nicolai-publishing.com
discuss@nicolai-publishing.com

Twitter / Instagram: @nicolaidiscuss

Dieses Buch ist auch als E-Book erhältlich.

Printed in Germany
ISBN 978-3-96476-018-0

Never, never rest contented with any circle of perspectives, but always be certain that a wider one is still possible.

Richard Jefferies